インプレスR&D［NextPublishing］
E-Book / Print Book

熊本地震体験記［改訂版］

震度7とはどういう地震なのか？

井芹 昌信＝著

地震国日本住民必読の書。

家がなくなる、お店や施設が使えなくなる。
避難所に行くこともある。病気になることもある。
地震のときに起こりうることが、
日常生活の中でも想像できることが大事。

○まえがき

私は、2016年4月14日から発生した熊本地震で有名になった、町の出身者です。高校までこの地で育ち、いまは東京で出版関係の仕事をしています。

最初の地震（前震）で家族が被災し避難所に避難したことを知り、翌日夕方に飛行機で熊本に帰郷しました。その夜は損傷を受けながらも大丈夫と思われた実家に泊まり、二度目の「本震」を体験する羽目になってしまいました。震度6クラスの余震は覚悟して行ったのですが、まさか震度7とは。「ミイラ取りが……」とはこのことで、自分も被災者となってしまいました。

本書は、私が体験した熊本地震と、その後に身に降りかかってきたことなどを急ぎ出版した体験記です。あくまで一個人の体験なので、誰にでも通用する汎用的な教訓が書かれているわけではありませんし、1冊の本として多角的な取材や検証がされているわけでもありません。しかし、一人の人間が大地震に遭遇し、どういう気持ちになり、どういう行動をとったかという事例は、地震と共に生きていかなければならない日本に住む多くの方々のお役に立つのではないかと思いました。

また本書の出版は、私が出版関係者だったこととも関係があります。私の生業は編集者で、現在は電子出版社の発行人を務めています。今回の地震では、帰郷して以降、何かのお役に立てばと思い現地情報を自分のFacebookなどで発信していました。また、ウェブ雑誌の編集長も務めていますので、その立場を借りて記事としても発行しました。この本を発行することになったのは、私のこれらのネットの記事を見て、何人かの方から「出版したら今後の役に立つのでは」というご意見をいただいたのがきっかけでした。

確かに、出版できる立場にある者が被災経験を持ったのは稀なことでしょう。今回の経験を広く知ってもらうことは、自分の仕事だとも思いました。通常は、発行人が自分の本を自分の会社から出すことは客観性の観点からしないものですが、本書の発行主旨に鑑みご容赦いただければ幸いです。

熊本地震でお亡くなりになられた方々のご冥福をお祈りするとともに、被災された皆さまのご健康と今後の再建を心から願います。

2016年5月

■改訂版発行に際し

本書は、その後の出来事などを加筆し、2021年4月に出版した改訂版です。地震災害は、地震当時に集中的に報道されるので、家屋、橋やトンネルなどの倒壊・崩壊に目がいきます。しかし大変なのはそれだけではなく、その後に襲ってくる慣れない避難生活による災難でした。本書では、実際の避難生活、健康不安、家族との別れ、復興に向けての取り組みなどを追記しました。

熊本地震の後も震度6クラスの地震が何度も起きています。日本は地震から逃れることのできない国であり、地震を意識した生活が求められていると思います。本書がその一助になることを願います。

2021年4月
井芹昌信

目次

地震発生（前震）

2016年4月14日21時26分
〜
16日0時頃

熊本地震の発生を知り、すぐさま家族の安否を確認。避難所に入った両親の救援のため急ぎ熊本へ行くことに。

●故郷で大地震発生

家族が避難所に……、救援に行かねば（14日21:40頃）

私が熊本地震の発生を知ったのは、帰宅途中の電車の中でした。家内からの電話で、故郷の熊本で大きな地震があり、何度か電話してやっとつながり、家族は無事との連絡でした。

私の実家は熊本県上益城郡益城町木山にあり、いまは両親（父89歳、母83歳）と姉（60歳）が3人で暮らしていました。

電車を降りてすぐ母のケータイに電話すると、ありがたいことにうまくつながり、両親ともに怪我がなく無事だったことを自分でも確認でき、ほっとしました。

ただ、実家は食器などが散乱し歩ける状態ではないことや、近くの避難所に移っていて、緊迫した状況だということもわかりました。

いつもは姉が同居しているのですが、ちょうど岐阜の娘のところに行っており、幸か不幸か姉はその場にいなかったのです。

避難所に入ったとなると救援に帰らなければと思い、急ぎ飛行機の予約をし、翌日の夕方の便で熊本に行くことにしました。

●熊本空港到着

レンタカーで避難所へ急ぐ（15日19:20〜）

予定どおり、15日の夜7時過ぎに熊本に着きました。空港は普段と変わった様子はなく、予約していたレンタカーも問題なく借りられました。熊本空港は実家がある益城町にあり、実家までは車で20分くらいの距離です。

益城町周辺の地図。空港から益城町役場までは直線距離で6kmくらい。益城町から熊本市の繁華街までは11kmくらいの距離。

ちなみに、益城町は熊本県のほぼ中央に位置しており、熊本市の東に隣接することから、市のベッドタウンでもあります。人口は約3万4000人、野山や川などの自然に恵まれ、田畑も多く、日本の原風景が見られる典型的ないい田舎と言えるところです。

空港周辺の道は問題なく通れました。しかし、益城町役場がある木山地区に近づくにつれ、石垣や塀が道路に倒れこんでいたり、倒壊している家が出始め、景色が一変しました。やはり、大変な震災だったんだとわかりました。

だんだん暗くなってきたので、あたりの様子は詳しくはわからなかったのですが、車で通りかかったとき実家の窓から明かりが見えたので、もう電気が来ていることがわかりました（停電と聞いていたので、復旧が早いと思った）。ただ、このときは実家には寄らず、両親のいる避難所に急ぎました。

両親は、益城町が運営するミナテラスという交流情報センターに居ると聞いていました。ミナテラスは知らなかったのですが、町営の体育館（テレビによく出ていた益城町総合体育館）の隣と聞いていたので、見当はついていました。

しかし、実家からミナテラスまで行くのは大変でした。家が倒れていたり、道路に亀裂が入っていたりで交通規制が激しくなり、橋に大きな段差ができていて渡れなかったり、なかなかたどり着くことができません。いつもなら5分くらいで行けるところを、30分くらいかかったでしょうか。どうにか道を探し出し、避難所にたどり着くことができたのは8時半ごろでした。地元出身者だからできたことですが、裏道を知らない人だと、きっとたどり着けなかったと思います。

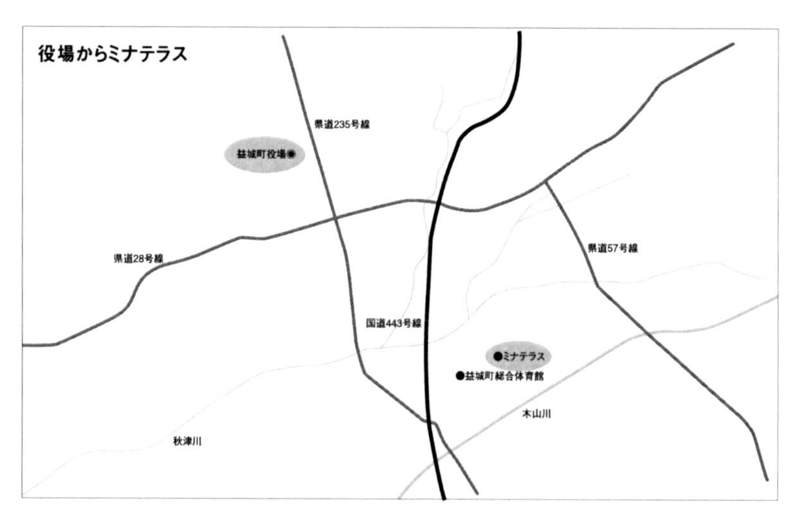

益城町役場がある木山地区の地図。役場からミナテラスまでは直線距離で800mくらい。国道443号線と県道235号線が通行止めになっていたので、川沿いの道で行った。

●両親の無事を確認

着の身着のままの両親と再開（15日20:20頃～）

ミナテラスの玄関でやっと母と会え、本当にほっとしました。

寝床のある避難エリアに行ってみると、すでに多くの方々が避難されていました。その中で父は、いつもは使っていない車椅子に座って待っていました。聞けば、足の状態が思わしくないので、施設から借りて使っているとのことでした。でも、それ以外の体の不調はないそうで、またほっとしました。

両親は地震の後、周りの人の勧めで家のそばの役場の広場に避難したそうですが、その後、救急車でここに移動させられたそうです。そのため、着の身着のままの状態で来ていました。

避難所から家までは1kmはないので歩ける距離ですが、道路の通行止めなどで行くのは危ないし、足が不自由な父の面倒もあるので行けなかったとのことでした。救援に帰って来てよかったと思いました。

●実家の状況を確認

ちゃんと立っていたが、食器などが散乱（15日22:30頃〜）

うちの実家は益城町役場の目と鼻の先にあります。

家はちゃんと立っていました。実家は二階建ての戸建てで、田舎ゆえにまあまあの部屋数と広さがあります。やはり電気は来ていて、ブレーカーが落ちていなかったので、すでに明かりがついていました。

家の中に入ってみると、家具が転倒し、あらかたの食器類が割れて散乱していました。はだしで歩ける状態ではなかったので靴のまま上がり、全体をチェックしました。居間は棚が倒れ込み、食事などに使っていたテーブルは横倒しになっていました。他の部屋も家具が倒れ込み、物が散乱した状態でした。

でも、これなら片付ければ両親を連れて帰れると思いました。さあ、明日は片付けだ、頑張ろう、と思っていました。

●実家で就寝

安全を確認し、実家で寝ることに（16日0時頃）

両親はいつも、一階の増築した部屋にベッドで寝ていました。ここは二階部分がありません。その部屋は14畳ほどに広く、あまり物を置かないようにしていたので、ほかの部屋に比べるといい状態でした。服や小物は散乱していましたが、大物は棚が一本倒れているだけでした。

地震が起きたのは夜の9時26分ですが、よくぞこの時間に寝ていてくれたと感謝しました。もし起きていたら居間にいたはずなので、家具の転倒に巻き込まれたに違いありません。

実は、倒れていた一本の棚の上には40インチのテレビが置いてありました。危ないから低いところに置いたほうがいいと言ったのですが、ベッドから見るのにこのほうが見やすいと言うので、私が棚にネジで固定していたものでした。写真はないのですが、テレビは棚に固定されたままでベッドの脇に倒れていました。もし固定していなかったら、ベッドに飛び込んだかもしれない位置でした。よかった。

もう電気も来ていることだし、余震はあるかもしれないけど震度7に耐えた家なので大丈夫だろうと思い、私も両親が使っていたベッドで寝ることにしました。

懐中電灯と靴を手元に用意し、外に出るルートも確認していました。でもこのときは、あくまで余震であり、震度6くらいまでは想像していたのですが、まさかそれ以上のことになるとは頭の中にはまったくありませんでした。

寝たのは、0時ごろだったでしょうか。

本震発生

4月16日1時25分
〜
朝

損傷を受けた実家に一人で泊まり、予期しない震度7の「本震」に遭遇してしまった。二度目の大地震で事態は一変した。ここでは、震度7の地震の恐ろしさをお伝えする。

●「本震」に遭遇！

震度7とはどういう地震なのか（16日1:25〜）

それは突然大きな音で始まり、起こされました。家が激しくきしみ、身体がベッドの上を大きく行き来しました。「揺れ」というよりは、ものすごい力で引きずられて、反転、また引きずられて、反転、……、という感じで、家全体が何か大きなものに「揺さぶられている」ようでした。

そしてこの揺さぶりは、信じられないことに1回ではなく、いつ終わるのかと思うくらい長く続きました。20分までは時計を見たので覚えているのですが、おそらく1時間くらいは続いていたように思います。震度3〜4くらいがずっと続き、時に大きなのが来る感じです。

長いので、考える時間はあるけど、揺れは止まれないという状況でした。もし屋根が落ちてきたらどこに入るか、外へ出たほうがいいのか、懐中電灯とケータイのありかは、……など考えたと思います。でも、ベッドの上に居続けました。

そんな中、うちの家の脇をレスキュー隊が走っていくのがわかりました。大声で、救済者の家を探しているようでした。それを聞いて、ひょっとしたら、この地震で家がつぶれ、下敷きになっている人がいるのかもしれないと気付きました。助かった人が助けなければならないということを、阪神や東北の大地震のときに言っていたのを思い出しました。

●外は真っ赤

緊急車両がすでに集結、レスキュー隊が活動（16日2:30頃）

それで外に出ました。出てみると、そこは一面真っ赤。赤かったのは、火事ではなく緊急車両のランプです。うちの実家は役場のすぐそばにあるのですが、役場の周りには昨夜の地震（前震）の対応のためすでに数十台の緊急車両が集結していて、それが一斉に稼働し始めていたのです。

少し道を歩いてみると、倒壊し軒先が道路に突き出している家がありました。大変なことになったと思いました。

緊急車両は県内だけでなく、九州各県から駆けつけてくれていました。

宮崎ナンバー、福岡ナンバーなどの車を見ると、胸が熱くなりました。

緊急車両の列を見て、自分の出番はない（というより出なくてもいい）と思い、（内心ほっとして）家に戻りました。そして、今度は靴を履いたまま寝ました。

●翌朝の惨状

きのうとは別世界、言葉が出ない（16日朝）

翌朝、まわりの状況を見て、目を疑いました。

この写真は居間の状況ですが、テーブルが上下逆さまになってしまっています。実は前震後は横倒しだったのですが、本震でこのありさまです。「机の下に隠れろ」は、震度7では甘いと思いました。

ただ、奥にあるテレビは倒れていません。前述したように、寝室のテレビも台との固定は外れていなかったので、テレビの固定は震度7でも有効ということです（もしテレビを固定されていない方は、今日にでも固定してください）。

この部屋は、すべてのものが倒れて、それがさらにかき混ぜられたような状況で、入ることができませんでした。つっぱり棒なども役に立たなかったと思われます。

外に出てみると、家の周りには大量の瓦が散乱していました。家から5mくらいまで飛んでおり、中には地面に突き刺さって抜けないものもありました。地震の最中に不用意に外に出るのは危険だ、いうことがわかります。

結局、私は、一度は外の様子を見に出たものの、最後は寝てしまったのですが、朝、部屋を見渡してみて、改めて恐ろしくなりました。大きな窓サッシは外れて部屋に倒れ込んでおり、私の寝ていたベッドをかすめていました。

いま思えば、家から出て避難するのが正しかったと思いますが、そのときは自分は両親を救援に来た身なので、明日からのいろいろなことに備えて寝ておかなければならないと思っていたのでした。

最後まで耐えてくれた実家の我が家に感謝しました。

家の周りの様子を見てみると、写真のように言葉を失うありさまでした。

二軒隣の家は倒壊し、高齢のご両親が下敷きになったことを聞きました。お父さんはレスキュー隊に助けられましたが、お母さんは亡くなられたと。昨夜のレスキュー隊は、このご両親の救出に向かっていたのだとわかりました。そして、何もできなかったことを申し訳なく思いました。ご冥福をお祈りします。

●もし前震がなく、いきなり本震だったら

誰も予想しなかったことでしょうが、震度7という最高震度の地震が二日続けて起きたわけです。それも二度目のほうがマグニチュードが大きく、二度目で多くの家が倒壊してしまいました。二度も来たことが恨めしく思えます。

しかし後に思ったことですが、よく考えると前震があってよかったのかもしれません。もし、いきなり本震だったら、すぐレスキュー隊が駆けつけてくれることはなかったでしょう。前震の際には、益城町だけで約7000人が避難されていたそうですが、もし、いきなり本震なら、その方々の多くは自宅にいて寝ておられたはずです。もっと多くの犠牲者が出ていたに違いありません。うちの両親もそれに該当していました。

避難所生活

4月16日朝
〜
19日

救援に来たつもりが、何と、自分も避難者になってしまった。ここでは、本震後の避難所生活の様子をお伝えする。

●避難所

寝場所を失い、自分も避難者に

私も寝場所を失ってしまったので、現地の被災者の方には申し訳ないことですが、両親のいる避難所にお世話になることになりました。

私が入れてもらったミナテラスは、テレビでよく出ていた総合体育館の隣の施設で、100人くらいの方々が避難されていました（体育館は約1000人）。

避難所に入る際の手続きは、母が口頭で職員の方に申し出て登録してもらう形でした。ミナテラスは町が運営していることもあり、しっかりした対応がされていました。

寝床は、両親のそばに空いていたスペースを使わせてもらいました。

多くの方が、発泡スチロールの板を2枚敷いて、毛布をかけて寝ておられました。毛布は潤沢にあったようですが、枕はなく、毛布を枕代わりにされている方もいました。現地民ではない私は、少し気が引けたので、発泡スチロールは使わずに段ボールで代用しました。

●避難所で足りなかったもの

避難所での一夜が明けて、状況を冷静に見てみると、いろいろなことが起きていることがわかってきました。

そこで職員の方に、自分が東京のメディア関係者であることを伝え、この現状をできるだけ発信したいので状況を聞かせてほしいと申し出ました。そのとき、足りないと思われたのは以下のものでした。

食料

今朝はお菓子とミールだけでした。きのうは自衛隊の炊き出しのおにぎりだったのですが、これからどんどん不足しそうな感じでした。「弁当もいいが、日持ちがして配布が簡単なパンもほしい」とのことでした。

水

水はペットボトルで配布しているが、備蓄が後わずかとのことでした。

ティッシュペーパー

一人数枚ずつ配布しているという状況でした。実際は、頻繁に使う必要があったのですが、みな我慢して使っていました。

下着、タオル

いまは大丈夫ですが、この後体を拭くなどで必要になるとのことでした。

粉ミルク

これまでの震災でもそう聞いていましたが、ここでもそうでした。

これらの情報は私のFacebookで発信し、100を超えるシェアをもらえました。

●水

最初はペットボトル、次に給水サーバー

水は、最初は500ミリのペットボトルが配られていました。次の日からは給水サーバーが設置されたので、飲み水に困ることはありませんでした。

給水サーバーが入った際に、職員の方から「ペットボトルは捨てずに、それに補給して再利用してほしい」とのお願いが出ていました。

水のほかにも、ペットボトルのお茶やコーヒーも配給されていて、コーヒー好きの私にはうれしい対応でした。

●食事

おにぎりは万能非常食

避難所では、一日3食ともに配給がありました。

朝はおにぎりやパン、昼はおにぎりや焼きそば、夜はおにぎりやカレーなどです。やはり、おにぎりが大活躍でした。

ただ、食品によっては人数分ないこともあり、配給の予定時間の知らせがあると列ができ始め、多いときには1時間以上も並ばなければならないこともありました。

高齢者や体の不自由な方も並ばれていて、大変だなあと思っていたら、そのうち高齢者や子供を優先して配給するなどの対応で、列は短くなっていきました。職員の方の工夫だったと思いますが、心身共に疲れている被災者に、さらに食事のために並ばせるのは本末転倒なので、とてもいい対応だと思いました。

ちなみに、3食以外にもお菓子や果物が配給されることもありました。大量のバナナが提供されたことがあったのですが、バナナはおいしく、食べやすく、取り扱いがしやすいので、とてもいい非常食だと思いました。

●トイレ

紙は便器に流しちゃいけない

避難所には、すでに仮設トイレが2列、20個くらいが設置されていました。

避難所ではトイレが一番問題になると、これまでの震災の報道で聞いていましたが、ここは数も充実していて、きれいとは言えないまでもこの状況としてはきちんと管理されていました。

汲み取りも適宜行われていました。感心したのは、途中から「ペーパーは流さずに袋に入れてね」、との貼り紙がされていたことです。そのおかげで、トイレが詰まることも少なくなり、水も節約できていたように思います。これも職員の方の機転なのでしょう。

●電気・ケータイ充電

三叉コンセントは必須

電気は早期から電源車が横づけして、常時、供給してくれていました。

いまや生活必需品になったケータイ／スマホですが、問題になるのは充電です。ここは益城町の充電スポットの1つにもなっており、充電スペースはしっかり用意されていて、避難者以外の方も利用に来ていました。

ただ、ここで問題だと思ったのは、コンセントの数と形状でした。結構な数の差し込み口が用意されていたのですが、利用者はそれよりも多く、待っている人もいました。それと、スマホやタブレットの中には、コンセントの幅より大きな充電プラグがあり、その1つで2つ分を占有してしまっていました。それに無理やり差し込んだために、抜けなくなって困っている人もいました。

私は三叉コンセントを持っていったので、ふさがっていても、1つを抜いて、三叉を刺し、抜いたプラグと自分のプラグを差して充電できました。三叉コンセントは必需品です。

●救援物資

17日だったと思いますが、この避難所に県外からの支援物資が初めて到着しました。茨城県からのトラックで、水や医薬品、生活必需品などが大量に届き、みなの拍手で迎えられました。自分も見ていて、県外の方々も応援してくれているんだとわかり、胸が熱くなりました。

これ以来、さまざまな物資が届くようになり、配給品が充実していきました。

避難所への支援対応を時間順で振り返ると、

1．役場職員
2．自衛隊の炊き出し
3．地元の飲食店やボランティアによる食事提供
4．自衛隊のお風呂
5．県外からの救援物資
6．赤十字による医療対応

という順番で、サービスが充実していったと思います。

ちなみに、私が居たミナテラスは町が運営しており、避難所の中でも最高クラスのサービスが提供されていたように思います。ほかの人の話を聞くと、食事が配給できなかったり、物資が圧倒的に不足していたり、不自由を強いられた方々が多かったようです。

●職員の方々

夜は最後まで、朝は最初に。

ミナテラスの職員は、日ごろからの正規の職員と役場から支援に来た方々とのことでした。

忙しい中、いろいろお話をしていただきました。ここは、通常は役場の管轄で動いているそうですが、今回の地震で役場の機能が停止し連絡が取れない状況にあり、独自での運営を余儀なくされているとのことでした。

さらに、隣の総合体育館は民間の運営になっていて、そちらとの情報交換もむずかしい状況とのことでした。確かに、隣には新聞が来ているのに、こちらにはその連絡もなく、誰かが気づいて持って来るような状況でした。自衛隊の炊き出しも体育館の前で行われていたので、すぐにはわからず、かなり並ばされたこともありました。

そんな中で、職員の方々はいろいろな工夫をして、できるだけのサービス提供をしようとされていました。ほかで書いた、ペットボトルの再利用、トイレの貼り紙、列のクラス分けなどは職員の方の工夫だったと思います。

おそらく、ご自分の家や家族も被害を受けられていると思いますが、朝は避難者より早くから、夜は最後まで献身的に仕事をされていました。私が夜トイレに行ったとき、机に寝崩れておられるのを見て、頭が下がりました。

ありがとうございました。

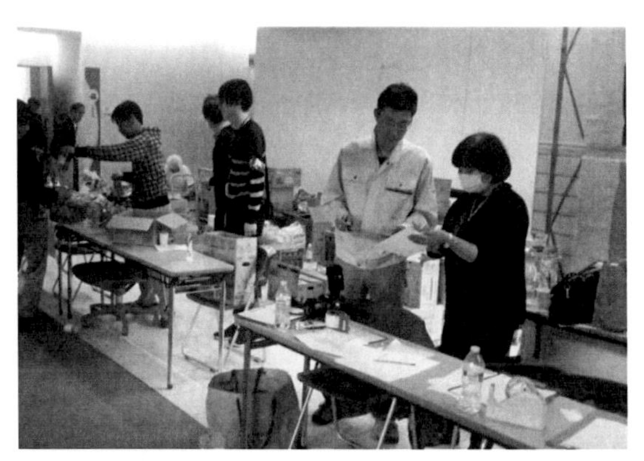

ミナテラス職員の仕事の様子。忙しい中、お話をしてくださったのは
西橋さん（一番右）と藤田さん（隣）

●自衛隊

いつも頼もしかった

自衛隊は私が熊本に入ったときから、すでに活動されていました。

少なくとも私が見た救援活動だけでも、道路の被害調査、給水、炊き出し、お風呂と精力的に支援されていました。大きな特殊車両に強そうな方々、被災した身からはとても頼もしく見え、終始、安心感を与えてくれていました。感謝です。

自衛隊の炊き出しのおにぎりは特別においしく、長持ちしました。何か秘訣があるのでしょうか。

17日だったでしょうか、お風呂が来ました。設置するところを見学できたのですが、5〜6時間で入れるようになったと思います。みんな喜んでいました。

私も後学のため、最後のほうで入らせてもらったのですが、10人くら

いが入れる広さの脱衣場と湯船があり、思ったより広々していました。さすがに湯量が追い付かないのか、湯のかさは20cmくらいに減っていて浸かることはできませんでしたが、通常なら湯船に浸かれるのだと思います。

自衛隊がお風呂を作ってくれている様子。奥に見える四角いのが湯船で、その手前が脱衣所。

このお風呂は、順番に避難所を回るのだと思っていましたが、自衛隊員に聞いたところ、しばらくここに居るとのことでした。県外の自衛隊が応援に来てくれているので、他の避難所への対応も順次行われるとのことでした。やはり、自衛隊は頼りになります。

●赤十字

18日には赤十字が来てくれました。風船のように空気で膨らませて、仮設病院があっと言う間にできました。5分程だったでしょうか。毎日何人かが救急車で運ばれていたので、心強い味方です。私が居た最後の朝（20日）には、立派な設備が構築されていました。

実際に、父が夜トイレに行った際に転んでしまい、足に怪我をしてしまいました。傷は小さなものだったのですが、骨や筋に影響があるとまずいと思い、出来立ての赤十字病院で見てもらいました。中に入ると、たくさんの県外からのスタッフがおられ、早く、かつ丁寧に診察していただけました。

結果は、「おそらく擦り傷だけで他は大丈夫でしょう」ということでした。「明日にはレントゲンが入るので、心配なら明日に来てください」、と言われました。特に痛みはなさそうだったので、お世話にはなりませんでしたが、レントゲン車まで来てくれるとは驚きました。

●コミュニティーができてきた

緊急時ではコミュニティーが大事

さすが田舎の人たち、避難所ではいつもみんなで助け合っていて、そこかしこにいいコミュニティーができていました。足の不自由なお年寄りが多いのですが、身内以外の人も手助けしてくれています。食料のお裾分けは日常茶飯事で、隣のおばあちゃんは、私にまでバナナを勧めてくれました。

大声を出す人や争いごとなどは、少なくても私が居た間は見ていません。食料や水が枯渇しなかったのも功を奏していたと思います。

この避難所では、少ないけど、寝床に犬を連れてきている人もいました。犬も吠えないし、しつけはちゃんとしていたので周りからの非難は出ていませんでした。その後、ペット同伴用の避難スペースができるとの案内があったので、おそらくそちらに移られたと思います。

消灯の時間も、日を追うごとに何となく決まってきて、9時に少しだけ残して消して、10時には全部消すような感じです。誰が係という決まりがあるわけでなく、子供が「消していいですかぁ」と声をかけて消そうとしたときには、「いいでーす」とみんなで返事して、微笑ましく思いました。

ゴミの分別については、この歳になって母にまた教わることになりました。最初はゴミが分別されておらず、生ゴミもペットボトルも缶も混ぜこぜに入れられていたのですが、母が自分でビニール袋を持ってきて、手で分別し始めたのです。私は、そんなことは係の人がするからと言って止めようとしたのですが、後で見てみると、母の分別した通りにみんなが分別してくれており、その後もずっと継承されていました。私は都会ずれしていて、こういうときは気づいた人がやるものということを忘れていました。

●メディアの使われ方

新聞、テレビが二大情報源　ケータイも大活躍

仕事柄、メディアの利用のされ方が気になったので、いろいろ注意して見ていました。以下は、主にミナテラスで見た、避難所でメディアがどのように使われていたかの状況です。

新聞

避難所には、地元新聞である『熊本日日新聞』と『読売新聞』が号外も含めて毎朝、全員が読めるくらい大量に無料配布されていました。被害状況、避難所情報、インフラ状況などの詳細把握にとても役立っていました。

テレビ

テレビは玄関前に1台設置されていて、停電期間以外はずっとつけられていました。阿蘇大橋が落ちた映像が出たときなどは、落胆の声が漏れていました。やはり映像はリアリティーがあります。

このテレビと新聞という伝統的メディアが、二大情報源になっていたと思います。

通信インフラ

キャリアの通信回線は、信じられないことに一度も切れることなく利用ができていました。優秀でした。阪神淡路、東北などの経験から、対策がなされていたのだと思いました。それと、今回はダメージの大きいエリアが狭い範囲に集中していることが一因かもしれません。Wi-Fi（00000JAPAN）が無料で使えるという貼り紙がありましたが、実際はその電波は飛んでおらず、別の2つの有料サービスが動いていました。固定回線はありませんでした。私は安定性から自分のスマホのテザリングを使っていましたが、問題なく動きました。

ケータイ／スマホ

高齢者も含めてほとんどの人が持っていて、高齢者はケータイで電話利用、若者はスマホ利用とはっきり分かれていました。

電話は、頻繁に使われていて、家族、親族や友人との情報交換に利用されていたと思います。

スマホの利用者は主に若者ですが、充電エリアに座り込みずっと画面とにらめっこしているやからが結構いました。何をやっているかまではわからないのですが、ソーシャルメディア（LINE、Facebookなど）が使われていたのではないかと想像しています。

ソーシャルメディア

職員の人に聞いたところ、施設や職員側ではソーシャルメディアは利用していないとのことでした。しかし避難者や県民は利用しているようで、配給でカレーが出されたことがありましたが、それはツイッターなどで避難者からの情報が拡散し、それを見た近くの町の飲食店がボランティアで届けてくれたとのことでした。温かいカレーはとても喜ばれていました。

パソコン

パソコンはほとんど使われておらず、避難所には100人くらいがいたのですが、私以外では職員も含めて一人だけでした。避難所に持って来てないだけかもしれませんが、日常的に利用されているようには見えませんでした。いまやスマホがその代わりをしているのかもしれません。

施設側も、パソコンやネットワークをあまり利用されていないようだったのは意外でした。役場が機能停止していたので、その影響だったかもしれません。ただ、これまでの震災でも指摘されていましたが、避難所、役場、県庁などの役所間の情報ネットワークがしっかりできていれば、食材・物資の配給や人探し、道路情報など格段に効率が上がるのではないかと思いました。

書籍・雑誌

こういう緊急事態では書籍・雑誌はあまり役に立たないと思っていましたが、18日頃に50冊くらいの本棚が設置され、ちょっとした癒やしになっていました。

●マスメディアの取材状況

報道の大事さを再確認

私が現地に来たときから、すでにかなりの数のマスコミが入っていました。取材対象は、皆さんがご存知のように被害の激しい現場や避難所に集中していたように思います。

ネットの一部では、今回の熊本地震の報道姿勢にやり過ぎとの批判が上がっていましたが、私はそれに該当するようなシーンは見なかったので、それについてはわかりません。ただ、前震のときからマスコミが入っていたおかげで、被害の状況が早く的確に全国に伝えられたのだと思うので、やはりマスコミの力は大事だし、必要だと再確認しました。

自宅の近くを見回わっているときに、読売新聞の記者に出会いました。その記者は被害の激しい地域を一人、足で回っておられました。聞いてみると、亡くなられた方の家を訪ねて、ご家族にその経緯や人柄をインタビューし、1～2週間後に記事を掲載するとのことでした。地味だけど大事な仕事をされていると思いました。

●私のIT利用

ネットがあって本当によかった

私は、スマホとノートパソコン（正確にはchromebook)、それに電池式スマホ充電器と三又コンセントを持ち込みました。どれも大活躍でした。

スマホは主に電話利用で、家族、親族や会社との連絡に使いました。その他には、余震対応のために「災害アプリ」を入れておきました。「地震速報」は、余震が多いのでちょっとうるさかったけど役に立ちました。私の居たところは震源地のそばだったので、警報即地震（というより地震即警報）でしたが、実家で片付け作業をしているときなど、精神的な備えとして有用でした。それと写真撮影に使いました。本書に掲載した写真のほとんどは、私のスマホで撮ったものです（その他は従兄が撮ったもの)。

ノートパソコンは仕事柄いつも持っているのですが、同級生のメーリングリスト（ML）での情報交換、Facebookへの投稿、ウェブでのインフラ状況チェック、道路通行実績マップ、航空券の取得などに使いました。

今回の被災では、自分の仕事テーマであるインターネットとデジタルデバイスの進化とありがたみを、身を持って経験することができました。しかし同時に、田舎ではまだデジタルネットワーク利用環境が十分に普及しておらず、これらの恩恵を受けられていない現実を知ることにもなりました。

●余震

しょっちゅう揺れている

報道の通り、今回の地震では余震が収まりません。しょっちゅう揺れているという感じで、本震後2〜3日は強い（震度5以上？）のも何回かありました。そんなときはコンクリート作りの避難所も屋根がきしみ、みな外に飛び出すという状況で、中にはちょっとした揺れでも飛び出す人がいて、恐怖症になっておられるようでした。

そんな中、「30分後に、大きな地震が来るので外に出たほうがいい」と、係の人が言っているという話が避難所に広がりました。そんなことわかるはずがないと知っていたのでデマだと言ったのですが、多勢に無勢、両親も含めてみんなが外に出始めたので、しかたなく自分も付いていきました。

もちろん30分後には地震は来なかったのですが、不安があるときは間違った情報でもこういう風にみなが動いてしまうので、情報管理はしっかりしておかないと、場合によっては怖いことになると思いました。

周辺の状況

4月16日朝
〜
19日

ここでは、車で走ってわかった周辺事情やネットで分かった生活インフラの状況などをお伝えする。

●電気、ガス、水道

ほぼ全滅

16日から18日くらいにかけて、ネットの情報や車で走ってみて周辺の事情がいろいろわかってきました。以下は、生活インフラなどの本震直後からの状況です。

電気

前述の通り、前震後は一度は復旧していたのですが、本震でまた停電になりました。今度は、停電エリアがさらに広いとのことでした。

電力供給の状況は、九州電力のホームページから得ることができました。ここには、熊本県の地域ごとの復旧状況が詳細に報告されていて、とても役に立ちました。それによると、益城町の復旧が一番時間がかかりそうで、17日の時点で全体の70％程度がまだ停電だということがわかりました。18日には後25％まで復旧していましたが、すぐ復旧できるところはやった感じなので、これから先は時間がかかりそうでした。

ちなみに、うちの実家が通電したのは19日だったように思います。

ガス

実家はプロパンガスだったのですが、ボンベは2本とも倒れ、ガス管も破損していて、とても使える状況ではありませんでした。

ちなみに、後述する再帰郷した際には、ガス屋さんがボンベを撤去してくれており、ガスメーターも取り外されていました。

水道

全面的に断水状態になりました。

私が実家で作業しているときに水道係の方が調査に来たので、聞いてみたら、地下の水道管に被害が出ていて、復旧には時間がかかるとのことでした。

再帰郷の際も水は来ていませんでした。正確に言うと、うちの水道メーターのところまでは来ていましたが、敷地内のいくつかで水漏れがあり、蛇口からは水が出なかったのです。

飲み水は、自衛隊の給水車での給水が頼りになっていました。実家はモーターで地下水をくみ上げていましたので、電気が来れば水が出る期待はありましたが、飲み水には利用できないことはわかっていました。

●道路、交通

幹線が全部やられていた

道路

いたるところで地割れ、段差、液状化がありますが、一般道は道を選べば通れる状態でした。一度、熊本市内まで行きましたが問題なく通れました。

高速道路は熊本インター付近がやられていて、1つ手前の植木インターまでしか来られず、その後は一般道を使うしかない状態になっていました。植木から一般道で来た人の話を聞いたところ、大渋滞で5時間くらいかかったそうです（普段なら1時間もかからない）。

グーグルなどが提供している「通行実績マップ」は役に立ちました。それによると、植木より1つ手前の菊水で降りて国道325号線（空港経由の道）を抜けられることがわかったので、姉が岐阜から来る際にはそのルートを指示しました。おかげで姉は、渋滞に遭わずに1時間足らずで来られたそうです。

空路

空港は本震で受付カウンター周りが崩壊し、営業停止になりました。

稼働し始めたのは19日からで、東京へは大阪経由のみが運航されました。直行便が出たのは、翌日の20日からでした。

新幹線

14日の前震で、すでに全線が運休になっていました。それに本震が加わり、復旧は難航すると伝えられました。全線が開通したのは、13日後の27日からでした。

鉄道

鉄道もJR鹿児島本線の熊本・福岡間が運休になりましたが、復旧は早く熊本・福岡は18日から、全線が21日から開通しました。

このように、すべての交通手段が奪われて、私も東京に戻ることができなくなりました。しかし、今回の地震の規模から考えれば、全体的に交通インフラの復旧は早いと感じていました。

●お店

コンビニに歯磨き粉がない

前震のときからほとんどの店が休業状態だったと思いますが、本震でさらにひどい状況になってしまいました。本震直後は、益城町では開いている店はほぼ皆無でした。自動販売機も、当然ですが電気が来ていないので、まったく使えません。

そんな中、車で走っていたら、開いている一軒のコンビニを見つけました。入ってみると、棚が倒れていたり、商品が崩れ落ちたりしている中での営業でした。お店の人に、「よく開けられましたね」と声をかけたら、店内在庫で売れるものだけでも売ってあげたいとの思いで開店した、とのことでした。

ありがたいことだと思い、缶コーヒーを買いました。

18日には、かなりのコンビニが、半開店状態ながらも営業を始めました。歯磨き粉が欲しかったのですが、ほとんどの店が売り切れの中、1軒のコンビニで、1つだけ残っていた高級薬用歯磨き粉を買うことになりました。

●車中泊の方々

お年寄りの車中泊は厳しすぎる

同級生のご両親が車中泊されていたので、その状況を少し知ることができました。ご両親は、近隣の方々と駐車場で車暮らしをされていたそうで、そこは避難所としては公式に認識されていませんでした。そのため、配給もなく、水や食事は配給所まで取りに行かなければならない状況だったとのことです。お父さんは足が悪いので、近隣の方がご両親の分まで取ってきて、みんなで分けていたそうです。

トイレなどの事情を想像すると、お年寄りには厳しすぎる状況だと思われます。

その後、そのご両親は避難所に入ることができたのでよかったのですが、報道されていたように、多くの方々が車中泊で過ごされていたのです。避難所認定の仕方や避難所への誘導に、もっと工夫が必要なのではないかと思いました。

益城町総合体育館の駐車場の様子。この中に車中泊の方々が多くおられた。

●悲しかったこと

自分の中の大事なものが……

今回の大地震で故郷が壊滅状態になってしまいましたが、私にとって一番ショックだったのは、実家の裏の納骨堂の姿を見たときでした。

お墓の様子も見てみようと思い、足を運んだところ、いくつもの倒れたお墓の向こうに、ぺしゃんこに潰れてしまっている納骨堂の姿が目に入りました。納骨堂はコンクリートでできたしっかりした建物だった（少なくとも自分はそう信じていた）ので、まさか倒壊しているなど思ってもいませんでした。

ここには、うちのご先祖さまも納骨されています。

この姿を見たとき、子供の頃に遊んだことや、100歳で他界した祖母のことが思い出され、胸の奥から次々と込み上げて来るものを押さえることができませんでした。

私の場合は、ありがたいことに実家は倒壊しておらず、家族に怪我もなかったので、このことが大きな悲しみだったのですが、それは、自分の心の中の大事なものが奪い取られるようで、屈辱的でもありました。この思いから、家が倒壊してしまった方々、家族を亡くされた方々のお気持ちがどれほど深く悲しいものなのか、その大きさは計り知れない、ということがわかりました。

後で考えたことですが、倒れた家と倒れていない家では精神的な意味での被災程度は別物だと思いました。り災証明の判定基準では、家が倒壊かどうかではなく再建にかかるコストの程度で見ているようですが、倒壊した家の方には、何か別の慰謝料のようなものがあってもいいのではないかと思いました。

避難所からの救出

4月18日
〜
20日

避難所では、高齢者の方々が日々のトイレや睡眠などで苦労されていた。父も転んで怪我をしてしまった。避難所生活は高齢者には酷だと思う。ここでは、避難所からの移転と、それに伴う実家での作業をお伝えする。

●避難所から出なければ

問題だったのは両親の説得

父は足が不自由だったのですが、この震災でさらに悪くなり、トイレも一人ではままならない状況になりました。一晩に何回もトイレに行くのを手伝っていて、一刻も早く避難所から出る必要があると思っていました。

実家に戻れれば一番いいのですが、前述したように、とても住むことはできない程に損傷しています。

岐阜の娘の家に行っていた姉から、すぐ入れる部屋が1つ空いているからここに来ないかという提案がありました。姪夫婦と姪の義母が、両親のことを気遣ってくれた、ありがたい提案でした。自分が住む東京の部屋に連れてくるのは、手狭で現実的ではなかったので、その案でお願いすることにしました。

姉は、高速道路の一部がまだ不通の中、車で岐阜から来てくれて、一緒に説得することになりました。しかし案の定、両親は住み慣れた、そして知り合いが多い故郷を離れるのには抵抗があり、説得には時間がかかりました。一番の理由は、もうここに戻って来られないと思ったことだったそうで、一時的な避難でまた戻って来られることを丁寧に説明したら、わかってくれました。

ただ、数日とは言え、避難所の中ではすでに隣近所のコミュニティーができていて、母はまだ居続けなければならない周りの方々に申し訳ないと言っていました。私も3日間お世話になったわけですが、隣のおばあちゃんとよく話す間柄になっていて、自分が東京に戻るときには申し訳ない思いを経験しました。

●貴重品の取り出し

物が散乱して、なかなか見つからない

家を離れなければならないので、貴重品を取り出さなければなりません。それに、被災地狙いの泥棒があるとの報道もあり、現金などを置いておくのはもってのほかです。ちなみに実家は、玄関の戸は倒れ、縁側の窓サッシは全部外れていて、誰でも入れる状態でした。

貴重品としては、母からは位牌、現金、通帳、印鑑、病院のカードを取って来てほしいとの依頼がありました。私は、それに保険証、年金手帳、宝飾品を追加しました。

取り出しは難航しました。ほぼすべての棚や引き出しの中身が飛び出していて、書類や小物が散乱。その中から探すには、結局すべてを確認するしかありませんでした。大事なものは、ある程度まとめて置いておかないといけないと思ったしだいです。

●本当に大事なものとは

うちの場合は三味線の楽譜とサツキの盆栽

貴重品をある程度取り出した後、本当に大事なものとは何かをもう一度考えました。現金や貴金属が大事なことはわかっていますが、それ以外にも、人にとって大事なものがそれぞれにあるように思いました。それは、時間をかけて培ってきたものではないかと考えました。

父は私が子供の頃から、サツキ（ツツジの一種）の盆栽を趣味にしており、庭には鉢植えの盆栽がいまでも数十鉢置かれていました。水やりに神経を使うサツキの盆栽は、主を失ったら枯れてしまいます。とりあえずできることは、畑にじかに植え直してあげることでした。このうち1本でも生き残ってくれればという思いで、姉と一緒に植え直しました。

母は三味線の先生をしており、近所の方々に教えていました。一番いい三味線は姉が車で持っていってくれるとのことだったのですが、その

他に練習用のものと、生徒さんのためにと母が自分で起こした譜面がかなりの量ありました。それらを持っていくことはできなかったので、最低限、雨に濡れないように大きなビニール袋で包みました。

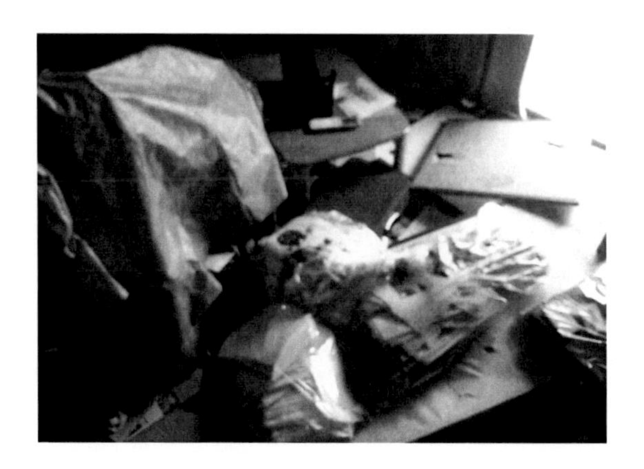

●ブルーシート

雨対策をしないと家の中のものが全部だめになる

家はかなりの瓦が落ちていて、雨漏り必至の状態でした。屋根にブルーシートを張るのが一番なのですが、実際には大きなブルーシートが手に入らなかったし、手に入ったとしてもそれをやる時間と労力はありませんでした。

しかたないので、大事だと思ったものはビニール袋で包んで、とりあえずの雨対策としました。着物がたくさんあったのですが、それらは何棹かのタンスが倒れ込んでいて、とても一人では取り出すのが無理だと思ったので、家にあった小ぶりのブルーシートを上からかけておきました。

後日、従兄の知人の建築関係の方に、屋根にブルーシートをかけてもらえることになりました。雨が一番の心配だったので、とてもありがたいことでした。

その結果を聞いたところ、単にシートをかけただけではすぐ剥がれてしまうので、瓦を全部落として、軒にしっかり固定する必要があったとのことでした。やはり、素人作業ではだめだったようです。

●励ましの言葉

どんな言葉でもうれしい

今回はたくさんの励ましをいただきました。私の仕事の関係で、電子メールやFacebookでいただくことが多かったのですが、それはとてもありがたいことでした。

私はいまや現地の住民ではないわけですが、子供の頃から育った故郷が無残な姿になったことに、正直、落胆の日々でした。そんな中、「がんばって」「心配しています」「気をつけて」「熊本県人の心意気を見せよう」など、多くの励ましのメッセージをいただきました。どんな言葉でもうれしかったです。こちらの状況を想像し、気持ちを寄せてくれることに心から感謝したい気持ちになりました。

（メッセージを出される方へのアドバイスですが、被災者にはそのすべてに返事する余裕はないと思いますので、返事を要求するようなメッセージの書き方は控えたほうがいいと思います）

前述した納骨堂のことで落胆していたとき、ある方から「こんなときは空を見て」という言葉をいただきました。その通りに青い空を見てみたら、少し気持ちが晴れた気がしました。

●空港再開、東京へ

20日に、熊本空港から東京便が出ることがわかりました。元々の予定では17日の日曜には東京に戻るつもりだったのですが、足を奪われて戻ることができず仕事も休ませてもらっていました。

両親の移転先も決まったことなので、両親のことは姉に任せて東京に戻ることにしました。

空港へは、借りていたレンタカーで問題なく行けました。ちなみに、レンタカーも2日間の予定で借りていたのですが、延長申請しようと思って電話してもレンタカー屋さんも営業停止の状態で、結局、足かけ6日間借りっぱなしでした。

どんな清算になるだろうと心配していたら、「今回の延長料金はなしでいいです」との暖かい対応でした。

日産レンタカーさん、ありがとうございました。

GWに再び熊本へ

5月3日
〜
7日

ゴールデンウィークに再び帰郷。
ここでは、2週間後の実家の様子や、手伝いに来てくれたボランティア、証明書類の手続きなどについてお伝えする。

●家の片付け

叔父と3人でテント暮らし

ゴールデンウィークに、家の片付けや書類提出のために再び実家に行きました。前回は時間がなく、貴重品の取り出しと最低限の雨対策だけだったので、もう少し本格的に片付けようと思っていました。

熊本出身でいまは埼玉に住んでいる叔父二人からも、手伝いたいとの意向をもらっていたので、今回は車で、3人で運転を交代しながら行くことになりました。

余震が続いているとのことなので、家で寝るのは無理だろうと思い、テントと寝袋を用意して行きました。しかし、地元の従兄が自分の家の車庫にテントを張ってくれていたので、実際はそこに寝泊まりさせてもらうことができました。

実家に到着すると、壁には赤紙が貼ってありました。

この紙は、家への立ち入りの危険度を示すもので、赤は「危険」、黄色は「要注意」、緑は「調査済」となっています。うちは残念ながら、危険の赤だったというわけです。

これは、建築士の資格を持つ判定官が審査するそうです。後で出てくる「り災証明」の基準とは別のもので、主にボランティアなどの立ち入り基準に使われるそうです。

●ボランティアが来てくれた

ありがたいことに、予期せずボランティアの方々に手伝ってもらえることになりました。来てくれたのは、仕事関係の知人とボランティア仲間の方々総勢5人。知人は、すでに阿蘇地域のボランティアに入っていたのですが、その作業に目途がついたので手伝いたいという連絡をFacebookでもらいました。

今回は叔父と3人で頑張ろうと思って行ったのですが、改めて現状を見てみると、家の損壊はひどく、落ちた瓦の片付けだけでGWが終わってしまいそうでした。そこにボランティアの方々の力添え。天の助けという思いでした。実家は赤紙が貼られているので、オフィシャルなボランティアは家の中には立ち入れないのですが、それを承知で自己責任で支援してくれたのでした。

何と、瓦の片付けが午前中で済んでしまいました。それから、家の中のがれき掃除、一人で持ち上がらない家具を立てたり、貴重品を拾い出したり全面的に支援してもらいました。

ボランティアに駆けつけてくれた、（右から）東京の倉方さん、前田さんご夫妻、島根の増田さんご夫妻。ありがとうございました。

●水が大事

トイレの水はどこで調達するか

今回、水が生活にとても大事なことを実感しました。飲み水は当然としても、それ以外に、歯磨き、洗顔、料理などにも結構な量が必要でした。

水は、2リットルボトルが6本入ったダンボールを2個、家内が持たせてくれました。私は飲む水のことしか頭になかったので、1個で十分じゃないかと言っていたのですが、何もわかっていませんでした。実際は、それでも足りずに、避難所から分けてもらうことになりました。

また、それらの上水のほかに、トイレ、洗い物などに使う中水がとても重要なことを改めて知りました。問題は、それらの中水用途には配給のペットボトルなどはもったいなくて使えないということです。中水は飲み水などの上水より多くの水量を必要とします。実際には、自衛隊の給水や水が出ているところからもらってくることになっていました。従兄の家でも、近くの家から分けてもらっているとのことでした。

その点、うちの実家はモーターによる地下水汲み上げがあったので、本当に助かりました。トイレは、あらかじめバケツに汲んでおき、都度流すという方法で対応しました。

実は、うちの隣にも小さな避難所ができていたのですが、うちのモーターの水の蛇口までホースを引き込んで利用されていました。許可したわけではないのですが、誰もいなかったので、後で断ろうと思い使わせてもらったとのことでした。私もお互い様だと思ったので、悪い気持ちにはなりませんでした。

うちの地下水はとてもおいしい水だったのですが、地震後は濁ってし

左はじの箱が地下水汲み上げ用のモーター。家の角に蛇口があり、そこからの水をトイレなどに使った。

まい飲み水にはできませんでした。もし濁っていなくても地震により悪い成分が混じった可能性もあるので、飲むことはできなかったでしょう。

ちなみに、叔父の家では雨水をペットボトルに溜めているそうで、その数、数百本だそうです。恐れ入りました。

●片付けはサバイバル

楽しむことも大事かも

テント暮らしは、よく思えばアウトドアのキャンプ状態ですが、悪く思うとサバイバル状態です。

食事はどうしたか

すでに、スーパーマーケットにはいつもと変わらないくらいに物資が並んでいました。しかし、男3人で片付けをしながらの食事作りは大変なので、主にパンやインスタント食品を買い込み、手をかけずに済む食事にしました。

カセットコンロを持っていったのですが、これは大活躍でした。みそ汁やポタージュスープなどの温かい飲み物はインスタントでも十分にありがたく、レトルトカレーもお湯だけでできるので、一食堪能しました。

でも、一番おいしかったのは従兄が作ってくれた串焼きで、アウトドア気分に浸れました。震災の片付けの最中に不謹慎という気もしないではなかったですが、楽しむことも大事だと思いました。

お風呂

まだ断水が続いていたので、多くの家がお風呂に入れない状態だったと思います。従兄の家も、もちろん実家もそうでした。

ありがたいことに、公的私的を問わず、多くのお風呂を持った施設が無料で提供してくれていました。健康関連施設、公的機関、ホテルなどネットで調べると、近くでも数個のサービスが見つかりました。我々は疲れを癒やしたかったので、ホテルの広いお風呂を選びました。

●家の構造と耐震

筋かいと耐震壁が大事とのこと

建築の専門家に家を見てもらいました。

筋かいと耐震壁が問題だったと言われました。写真は壁が剥がれて内部構造が見えていますが、確かに筋かいが入っていません。それと、家を改めて見回してみると、窓やドアや物入れなどが多く、壁がほんの少ししかないのがわかりました。

それと基礎についても教えてもらいました。うちは基礎も割れていたり崩れていたりなのですが、鉄筋を入れたしっかりした基礎だったら傾くことはなかっただろうと言われました。

うちの実家は築30年以上経っているので、新建築基準ではありませんでした。いまは新建築基準なのでこれらのことは配慮されていると思いますが、知識としては知っていたほうがいいと思いました。

片付けを始めて3日目のことですが、部屋の傾きが前よりひどくなっているのに気づきました。外に出て調べてみたら、柱の1本が完全に外れてしまっていて、これが原因で少しずつ沈み込んでいるようでした。倒壊してしまったら中の物がだめになってしまうので、とりあえず応急で支えの柱を作り、はめ込んで補強してきました。

●ボランティアの力について

被災していない人たちの力

今回、ボランティアの支援を受けたわけですが、そのとき、ボランティアの方々は被災者ではないということに大きな意味があるのだと感じました。当事者だと、思い出の品が見つかると手が止まったり、先のことが心配になったりで、気持ちが萎えてしまい作業がなかなかはかどらないのです。ボランティアの方々が、一心に作業に集中されている姿を見て、自分も頑張らなきゃと気持ちが前に向くのを感じました。

それと、ボランティアの方が見た目をきれいにしてくれたことも、とてもありがたい思いがしました。当事者だと見た目まで気にする意欲は湧かないのですが、床を掃いてくれたり、絵をかけ直してくれたり、きれいにしてくれました。次には解体しなければならないだろう家なのですが、きれいにしてくれたことで、家族を守ってくれてきた家への感謝にもなるし、なにより自分の気持ちが晴れていくのを感じました。

今回、力添えをいただいて、その力が単に物理的な作業支援だけではないことを実感しました。

●り災証明の申請

これが重要だが、なかなか出ない

被災した家は、「り災証明」という証明書を貰わなければならないとのことです。

り災証明とは、家の被害程度を公的に証明する書類のことで、程度により「全壊」「大規模損壊」「半壊」「一部損壊」に区分けされています。この書類はとても大事で、その後の公的支援や義援金の分配率などに影響を与えるそうです。

手続きとしては、まず役所に申請をして、その後に公的な現地審査が行われ公布されます。ただし今回は、その担当役所である役場が崩壊していて、地震直後の申請はままならない状況でした。

今回の帰郷でも役場は復旧できていなかったので、複数箇所に分散して受付が行われていました。私は町営幼稚園で手続きしたのですが、正式な役場の方ではなく応援の方だそうで、事務的な対応で、それ以上の情報やアドバイスは得られませんでした。

その際に、「明日から家具のり災申請も行われるので、そちらもお願いします」、と言われ次の日も出向いたのですが、聞いてみると、家具のり災証明は、地震保険に入っている人のためのもので、うちには関係ないとのことでした。先に言ってくれればと思ったのですが、前日の係の方もそのことはご存じなかったようで、こういうときはしかたのないことかと思いました。

ちなみに、うちの地域では地震はないと思われていて、保険の営業の人も「ここは地震保険の必要はないでしょう」と言うので、入っていなかったそうです。

り災証明に係る申請書

※太枠内を記入してください

益城町長　様

記入例

申請日	平成28年　5 月　1 日

申請者情報　※手続きに来られた人についてご記入ください

郵便番号	☑ 861−22（ 36 ） □（　　−　　）	行政区	広崎3町内		
住所	☑ 益城町大字（広崎12345　　　） □（　　　）				
フリガナ	マシキ　タロウ				
氏名	益　城　太　郎				
電話番号	（090）123 −5678	希望連絡手段	☑ 電話	□ 郵便	

建物所有情報　※被害にあった建物の所有区分等についてご記入ください

☑	持家	□	貸家	□	非住家

※申請者と建物所有者が同じ場合・貸家の場合は、[建物状況]を記入してください

※申請者と建物所有者が異なる場合（貸家を除く）は、下記のすべてを記入してください

郵便番号	□ 同上 □（　　−　　）	行政区	□ 同上 □（　　　）		
住所	□ 同上 □（　　　）				
フリガナ					
氏名					
電話番号	（　　）　　−	希望連絡手段	□ 電話	□ 郵便	

[建物状況]　※被害にあった建物の棟数や種別についてご記入ください

り災棟数	3	棟	← 被害にあった住家と非住家の合計棟数
住家種別	☑ 戸建　□ 長屋　□ 共同住宅　□ 店舗併用　□ その他（　　）		
非住家種別	☑ 車庫　☑ 倉庫　□ 事業所　□ 工場　□ 店舗　□ その他（　　）		

お願い
・今回の地震は、町内全域で被害が出ているため、証明書交付は、後日となります。
・5月末を目途に現地調査を完了できるように取り組んでいます。
・証明書交付の準備が整い次第、申請者様へ連絡します。
・お急ぎの所、大変申し訳ございませんが、ご理解のほど、よろしくお願いします。

それと、り災証明の際には家の状況写真を用意しておいたほうがいいと知人からアドバイスされていましたが、申請時にはその必要はありませんでした。ただし、家具のり災証明の場合には、写真を添付するように指示されましたので、そこでは必要になるようです。

り災証明の程度を判断する基準がネットに上がっていたので、事前に知識を得ていました。家が倒れていれば即、全壊。また柱がある程度まで傾いていれば全壊判定とのことでしたので、柱の傾きを測ることにしました。

ちなみにその基準とは、120cmのひもを垂らして、柱からのずれが6cm

以上あれば全壊というものです。これを家の四隅で測るのが正式だそうですが、全部はむずかしいので、1本だけ測り写真に収めました。結果は7cmでした。

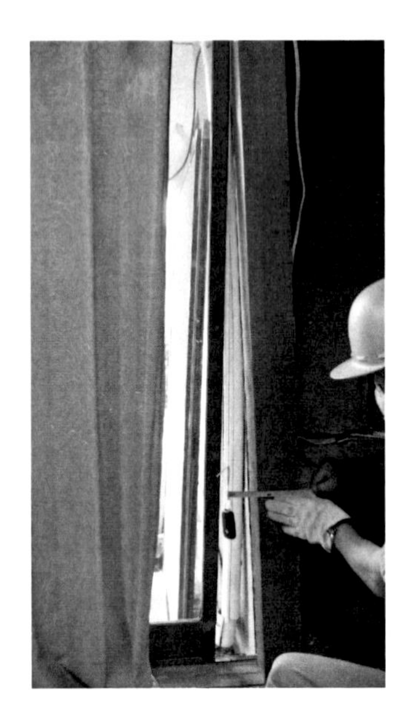

被災手続きと
公的支援

～
5月25日

両親に移転してもらい、どうにか一段落。だが、災難は続いている。ここでは、震災が及ぼした影響と、公的支援の状況などについてお伝えする。

●公的支援

甚大災害指定、特別予算

政府の対応については、初期に「激甚災害認定」に慎重との報道が出たときは、一体何を見て言ってるんだ、と思いました。その後、首相の視察もあり、激甚災害認定が行われ、特別予算も組まれ、最終的には最大級の災害支援が得られることになり、安心しました。

実際に、父の医療費は保険が使えず、とりあえず全額を支払うことになり、少ない手持ち現金から支出しなければならかったそうです。被災者は当然、現金の持ち合わせがありません。銀行に行けばあるでしょうが、現地ではATMは動いていなかったし、不慣れな土地では金融機関からの引き出しも慣れておらず、カードや通帳も不自由です。

素早い災害指定と公的支援は、実際に必要なことだと思いました。

●益城町のホームページ

ネットでの情報流通はとても重要

益城町役場は、本震で施設が大きな損傷を受け機能停止状態になっていました。そのため、役所業務は別の施設で臨時対応する形になり、り災証明などの重要書類事務も小学校や公民館などで分散して行われました。当然、インターネット上のホームページも止まったままでした。

しかし、本震1週間後の4月23日からは復活しています。以下は、5月27日の益城町のトップページです。

益城町のホームページ（http://www.town.mashiki.lg.jp/）

給水場所のこと、がれき処理、り災証明、仮設住宅、公的支援サービス、シャトルバスなど、被災者にとって有用な情報が1日4〜5本のペースで次々と公表されています。

ネットのいいところは、その地にいなくても情報が共有できることですが、おかげで東京にいる私も復興の状況を共有することができ、とても役立っています。

以下は益城町が発行している「災害臨時号」ですが、すでに10号を数えています。ネットからはPDFがダウンロードできますが、避難所などにも配布・掲示されているとのことです。

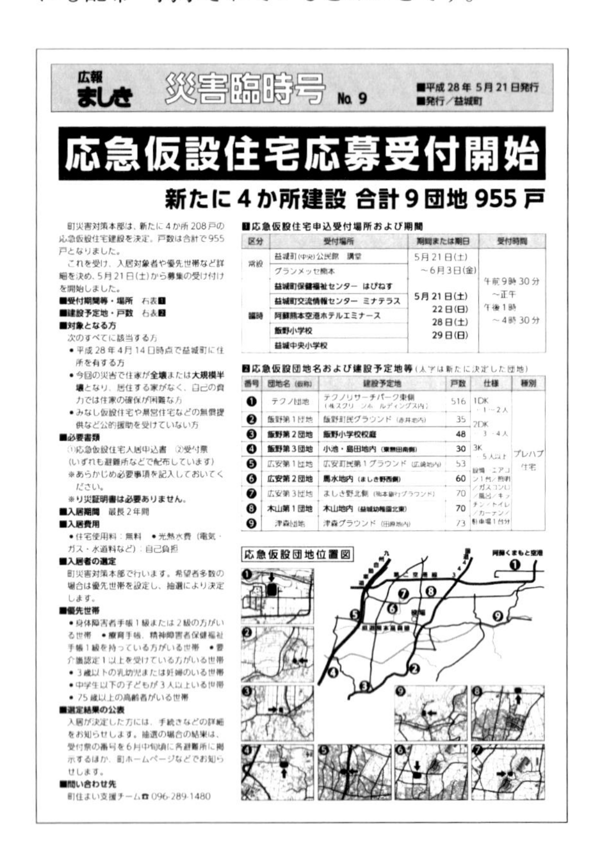

広報 ましき　災害臨時号 No. 9

■平成28年5月21日発行
■発行／益城町

応急仮設住宅応募受付開始

新たに4か所建設 合計9団地955戸

町災害対策本部は、新たに4か所208戸の応急仮設住宅建設を決定。戸数は合計で955戸となりました。

これを受け、入居対象者や優先世帯など詳細を決め、5月21日(土)から募集の受け付けを開始しました。

■受付期間等・場所　右表1

■建設予定地・戸数　右表2

■対象となる方

次のすべてに該当する方

- 平成28年4月14日時点で益城町に住所を有する方
- 今回の災害で住家が**全壊**または**大規模半壊**となり、居住する家がなく、自己の資力では住家の確保が困難な方
- みなし仮設住宅や県営住宅などの無償提供など公的援助を受けていない方

■必要書類

①応急仮設住宅入居申込書　②受付票

(いずれも避難所などで配布しています)

※あらかじめ必要事項を記入しておいてください。

※り災証明書は必要ありません。

■入居期間　最長2年間

■入居費用

- 住宅使用料：無料　● 光熱水費（電気・ガス・水道料など）：自己負担

■入居者の選定

町災害対策本部で行います。希望者多数の場合は優先世帯を設定し、抽選により決定します。

■優先世帯

- 身体障害者手帳1級または2級の方がいる世帯　● 療育手帳、精神障害者保健福祉手帳1級を持っている方がいる世帯　● 要介護認定1以上を受けている方がいる世帯
- 3歳以下の乳幼児または妊婦のいる世帯
- 中学生以下の子どもが3人以上いる世帯
- 75歳以上の高齢者がいる世帯

■選定結果の公表

入居が決定した方には、手続きなどの詳細をお知らせします。抽選の場合の結果は、受付票の番号を6月中旬頃に各避難所に掲示するほか、町ホームページなどでお知らせします。

■問い合わせ先

町住まい支援チーム☎096-289-1480

1 応急仮設住宅申込受付場所および期間

区分	受付場所	期間または期日	受付時間
常設	益城町(中央)公民館　講堂	5月21日(土)～6月3日(金)	午前9時30分～正午 午後1時～4時30分
	グランメッセ熊本		
臨時	益城町保健福祉センター　はぴねす	5月21日(土) 22日(日) 28日(土) 29日(日)	
	益城町交流情報センター　ミナテラス		
	阿蘇熊本空港ホテルエミナース		
	飯野小学校		
	益城中央小学校		

2 応急仮設団地名および建設予定地等（太字は新たに決定した団地）

番号	団地名（仮称）	建設予定地	戸数	仕様	種別
1	テクノ団地	テクノリサーチパーク東側（㈱スクリーンホールディングス内）	516	1DK（1～2人）	プレハブ住宅
2	飯野第1団地	飯野町民グラウンド（赤井地内）	35	2DK（3～4人）	
3	**飯野第2団地**	**飯野小学校校庭**	**48**		
4	**飯野第3団地**	**小池・島田地内（東無田南側）**	**30**	3K（5人以上）	
5	広安第1団地	広安町民第1グラウンド（広崎地内）	53	設備：エアコン1台／照明／ガスコンロ／風呂／キッチン／トイレ／カーテン／駐車場1台分	
6	**広安第2団地**	**馬水地内（ましき野西側）**	**60**		
7	広安第3団地	ましき野北側（熊本銀行グラウンド）	70		
8	**木山第1団地**	**木山地内（益城幼稚園北東）**	**70**		
9	津森団地	津森グラウンド（田原地内）	73		

応急仮設団地位置図

阿蘇くまもと空港

い、役所機能は給食センターに作られていました。震災後1カ月くらい経った頃です。

そこでも、市役所の方々が情報を収集し、毎日届く「被災地新聞」を発行されていました。配送は、自衛隊が物資と共に避難所に届けていて、避難者の方の貴重な情報原になっているのを見ました。

情報はとても重要です。特に、災害時は普段とは違う状況が発生しており、その状況や対応方法がわからないと、せっかくの公的サービスも受けられません。家屋の再建や道路の補修などに目がいきがちですが、情報の流通もそれと同じくらいに大事だと思います。

今回の益城町のホームページによる情報発信はとても有用だと思います。私も、同じような業務の出版業をやっていますので、スタッフの方々のご苦労は想像することができます。

「たいぎゃ助かっとるけん、がまだしてー」

（訳：とても助かっていますので、頑張ってください）

●り災証明書の発行待ち

住人でなければ受け取れない

り災証明書は、実際の住人（世帯員）でなければ受け取ることができませんでした。それ以外の人が受け取る場合は、委任状が必要です。うちの場合は、両親がすでに県外に移転していますので、誰かが出向かなければなりません。

実家のある地区のり災証明は、5月23日から発行になるとのことでした。私か姉が行くことになると思います。できることなら、ネットでの受け付けもしてくれればいいのにと思いました。住基カードやマイナンバーなど、本人認証ができる手段はあると思うので、使わないのはもったいないと思います。

また、り災証明を受けるときに、判定された基準に不服がある場合は、再調査のお願いができるそうです。たとえば、自分は「全壊」だと思っていたのに、「半壊」の判断がされるような場合です。これにより、今後受け取れる支援金などの額が違ってきます。

受け取りに行く前に、どのレベルかは自分たちでも想定しておく必要があるということです。そして再調査をお願いする場合は、その根拠となる写真や資料を用意しておくといいそうです。うちの場合は、柱の傾き計測の写真を用意しましたが、どういう判定が出るのでしょうか。

●仮設住宅の受付始まる

資格は、優先順位は、場所は……？

益城町では、仮設住宅を2000戸目標に作ると発表されていましたが、5月中旬からその受付が始まりました。現在は950戸ですが、戸数は日々増えています。以下は5月22日の仮設住宅の応募要項です。

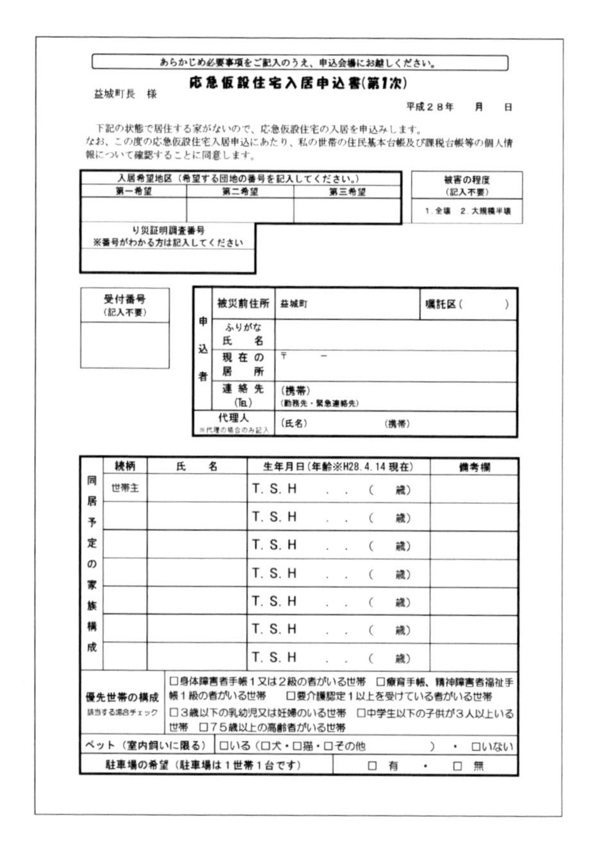

あらかじめ必要事項をご記入のうえ、申込会場にお越しください。

応急仮設住宅入居申込書(第1次)

益城町長　様

平成２８年　　月　　日

下記の状態で居住する家がないので、応急仮設住宅の入居を申込みします。
なお、この度の応急仮設住宅入居申込にあたり、私の世帯の住民基本台帳及び課税台帳等の個人情報について確認することに同意します。

入居希望地区（希望する団地の番号を記入してください。）		
第一希望	第二希望	第三希望

被害の程度（記入不要）
1．全壊　2．大規模半壊

り災証明調査番号 ※番号がわかる方は記入してください

受付番号（記入不要）

申込者	被災前住所	益城町	嘱託区（　　　）
	ふりがな 氏　名		
	現在の居所	〒　　－	
	連絡先（TEL）	（携帯） （勤務先・緊急連絡先）	
代理人 ※代理の場合のみ記入		（氏名）　　　　（携帯）	

同居予定の家族構成	続柄	氏　名	生年月日（年齢※H28.4.14現在）	備考欄
	世帯主		T.S.H　．．（　歳）	
			T.S.H　．．（　歳）	
			T.S.H　．．（　歳）	
			T.S.H　．．（　歳）	
			T.S.H　．．（　歳）	
			T.S.H　．．（　歳）	
			T.S.H　．．（　歳）	

優先世帯の構成 該当する場合チェック	□身体障害者手帳１又は２級の者がいる世帯　□療育手帳、精神障害者福祉手帳１級の者がいる世帯　□要介護認定１以上を受けている者がいる世帯　□３歳以下の乳幼児又は妊婦のいる世帯　□中学生以下の子供が３人以上いる世帯　□７５歳以上の高齢者がいる世帯
ペット（室内飼いに限る）	□いる（□犬・□猫・□その他　　　）・□いない
駐車場の希望（駐車場は１世帯１台です）	□有・□無

この書類を見ると、場所を第三希望まで指定できることがわかります。

優先順位は、

・身体障害者手帳1又は2級の者がいる世帯
・療育手帳、精神障害者福祉手 帳1級の者がいる世帯
・要介護認定1以上を受けてる者がいる世帯
・3歳以下の乳幼児又は妊婦のいる世帯
・中学生以下の子供が3人以上いる世帯
・75歳以上の高齢者がいる世帯

の順になっています。
また、ペットもOKで、駐車場も1台までは使えることなどもわかります。
住居面積は、1〜2人の場合が1DK（20平米）、3〜4人の場合が2DK（30平米）。無料サービスなので文句は言いにくいのですが、阪神淡路や東北では何年も住まなければならない例もあると聞いていますので、もう少し余裕があるといいと思いました。

家族会議の結果、うちも仮設住宅に申し込むことになりました。益城町の全壊、半壊は合わせると約5400棟とのことです。選ばれるといいのですが。

住み慣れた故郷からの移転

～
2016年7月

ここでは、地震1週間後から起こった出来事について書いていく。地震では家屋や建造物の被害に注目が集まるが、その影響からその後に身に降りかかる災難もまた未体験で想像を超えていた。

●避難所からの移転

両親ともに入院に

移住先での生活

病気を抱えた母と、地震の影響があり車椅子生活になっている父には避難所暮らしは無理だと思い、地震から1週間後に、姉の娘の家に移住させてもらいました。

岐阜県の不破郡というのどかなところです。山に囲まれ田畑が見渡せる景色は益城町に似ていて、両親もなじみやすそうだと思いました。

部屋は二階にあり、まだ使っていないというだけあってフローリングでとてもきれいな部屋でした。20畳以上はあり、ゆったりした生活ができそうです。姉も同居できるので、とりあえずこれで生活環境が確保できると安堵しました。

父転倒、そして入院

しかし、この安堵はつかの間でした。

震災時の転倒で足腰が弱くなっていたようで、父が夜トイレに行こうとした際に転んで尻餅をついてしまい、それから起き上がれなくなってしまいました。

いつもはカーペットか畳の部屋での生活だったので、すべすべのフローリングと新品のスリッパに慣れていなかったせいでした。普通の人なら問題ないことですが、高齢者にはもっと注意を払う必要があったということです。

近隣の病院で診てもらったら圧迫骨折との診断で、即入院になってしまいました。

1か月の入院で治ったとのことだったのですが、依然として起き上がることはできないまま退院させられました。それで役場に相談したところ、ケアマネージャを付けてくれました。役場は、熊本地震の被災者ということで、とてもよくしてくれたそうです。

ケアマネージャの口利きで、隣町の介護施設に入居することになりました。そこはショートステイの介護施設だったのですが、長期でも対応してくれるとのことでした。

母の転院

母は、震災の前からリンパの病気があることがわかっており、熊本の日赤で治療方針を決めようという面談予定日に被災したのでした。

岐阜に移住後は、日赤も被災していたのでなかなか情報が来ず、転院までに1か月以上かかりました。

やっと大垣市の大きな病院で診てもらったところ、熊本での見解と違い、危険な状況とのことで急ぎの治療を勧められました。震災や環境変化によるストレスで病状が悪化したようです。
治療には入院が必要で、半年から1年くらい要すとのことでした。

なんと、両親ともに入院という思いもしない状況に陥ってしまいました。

車椅子対応レンタカー

父は週1回の病院での診断が必要なので、介護施設から車で運びました。最初は、車椅子から抱えあげて車の座席に移動していたので、二人がかりでの対応が必要で大変でした。しかし、車椅子ごと電動で搭乗できる福祉車両レンタカーの存在を知ってからは、一人で対応できるようになりとても楽になりました。
料金は普通の車とさほど変わらないので、知っておくと便利だと思います。

リハビリを求めて

父にはリハビリが必要だったので、ケアマネージャの助けも借りていろいろ探したのですが、空きがなくなかなか見つかりませんでした。病院か介護老人保健施設（老健）をあたったのですが、病院からは入院中でないとむずかしいと言われ、老健は空きがないという理由でだめでした。結局、病院に頼んで週1回の通いでリハビリを受けることにしました。しかし、週1回では目に見える改善には至りませんでした。
後で聞いたことですが、老健など地域の福祉施設は納税してきた地元の人を優先するようで、納税歴のない移住者の優先順位が低くなる傾向があるようです（制度ではないと思いますが）。
このことを思うと、移住したことが本当によかったのかと考えてしまいます。当時は、避難所にこれ以上居ることはできないと思ったし、県内の施設も被害を受けていたので、受け入れはむずかしいだろうと思っていました。

むずかしい問題ですが、移住する前に熊本県内の福祉施設などを探してみる努力は必要だったのかも知れません。

●仮設住宅当選

益城町最大の仮設住宅がもらえた

5月に申し込んでいた仮設住宅ですが、7月に当選の知らせがありました。

第一希望は、実家から1kmくらいにある木山仮設住宅でしたが、結果は第三希望だったテクノ仮設住宅でした。

ここは熊本空港のすぐそばにある益城町最大規模（約500世帯）の仮設住宅で、実家からは8kmくらい離れていて歩ける距離ではありません。母は実家に歩いて行きたかったらしく、ちょっとがっかりした様子でした。

利用者数は3人（父、母、姉）で申し込んでいたので、間取りは畳の四畳半2つの2DKです。キッチン、水洗トイレ、お風呂、エアコン、テレビ、冷蔵庫、洗濯機などが最初から付けてあり、何も持っていなくても、すぐ生活できるように配慮されていました。

ただ、この装備はすべての仮設住宅の標準ではなく、別の仮設に入っている人に聞いたところ、エアコンやテレビがないケースもあったそうです。

入居は8月から可能とのことでしたが、うちはまだ帰れる状況にはありません。権利放棄しなければならないかと役場に相談したら、帰る予定があるなら持っていていいとのありがたい配慮でした。

おかげで、その後の私や姉が書類手続きや荷物整理で帰郷した際の宿として使わせてもらいました。

全壊判定、父との別れ、帰郷

2016年8月
～
12月

ここでは2016年8月から12月に起こった出来事を記録する。私事も含まれるが、あまり報道されていない事も多いので、皆様の参考になればと思う。

●実家のその後

「全壊」の判定

実家の、り災証明の判定は「全壊」でした。改築では住めないという正式な判定を受けたようで悲しさもありましたが、補償額のことを考えるとありがたいと思いました。(全壊だと、国からの助成金が100万円、建て替えた場合にはプラス200万円が支給してもらえる)

今後の生活再建を考えると解体は急ぎたいところですが、町全体が壊滅的被害を受けているので、業者の手配など思い通りにはいきません。

解体には公費解体と私費解体があるのですが、公費解体はなかなか進まず2年待ちとのことでした。この状況で、2年も解体を待てる人がいるのかと思ってしまいます。私は、ありがたいことに知人を頼れたので私費解体でお願いしました。ちなみに、私費解体でも、所定の手続きを踏んでやれば後で公的補填してもらえます。

10月の連休で帰郷した際に、これで最後だと思い、これまで家族を守ってくれてありがとう、と実家に手を合わせました。

トランクルームを調達

実家から救い出した荷物を保管しなければならないため、近くにプレハブのトランクルームを借りました。姉の知人が手配してくれたもので、8畳ほどの広さがあり、とても助かりました。

入れたのは、ふとん、本、写真、衣類、三味線、楽譜などですが、最終的には足の踏み場もないほどに積み上がり、何がどこにあるのかも分からない状態になってしまいました。

これらの荷物は、いつかどこかに運び出すことになるのですが、そのときは選別に一苦労しそうです。特に、ふとんの量が多すぎました。当時は、使えそうなものはできるだけ残そうとしたわけですが、多すぎると邪魔になるし、結局捨てる羽目になるので、本当に必要なものだけをきちんと区分けしておけばよかったと思いました。

実家の解体

解体作業は、業者が混んでいて11月になりました。

11月の末に帰郷した際には写真のように更地になっていて、やはりさびしい気持ちになりました。納屋だけは、被害が少なく解体を免れました。

ちなみに、解体にかかった費用は300万円強でした。その後に役所の査定があり、補填費用は約260万円とのこと。差額が出てしまったのですが、その分は業者さんが値引きしてくれました。感謝です。

●父死去、そして帰郷

帰郷計画

父の容体は、日を追うごとに悪くなっていきました。そしてある日、救急車で運ばれ入院する事態になりました。いろいろな事が影響しての肺炎でした。89歳という年齢で体力も落ちているので、もう前のように回復するのはむずかしいのか、という気持ちになりました。ならば余命があるうちに、故郷に戻してあげたいと思いました。故郷に戻れば、その環境が回復に力を貸してくれるかもしれない、という思いもありました。

帰郷させるには、いくつかクリアーしなければならないことがありました。1つは、母の治療が落ち着かなければならないこと。もう1つは、父の熊本での受け入れ先を確保することでした。

11月の中旬に、母の治療がいい方向に進んでいるという嬉しい知らせがありました。まだ治療は必要なものの、熊本の病院への転院は可能との見解が出たのです。

父の受け入れ施設については、熊本のケアマネージャーさんを頼り、病院やリハビリ施設付きの老健を見つけることができました。そこでは施設を見学させてもらえ、親身になって相談に乗っていただき、受け入れを了承してもらうことができました。

岐阜から熊本までの移送は、岐阜のケアマネージャーさんが綿密な計画を練ってくれました。空路、新幹線なども検討した結果、移動時の安全を優先し、治療設備の付いた私設救急車で陸路を行くことになりました。

帰郷後の生活は、7月にもらえていた仮設住宅を使う予定です。当面は、父は病院なので、母が一人で住むことになります。

父との別れ

移送の手はずを整えた矢先、深夜の突然の電話で起こされました。姉からの電話で、父が危篤との連絡。3時くらいだったのですが、東京から岐阜までは車で4時間くらいの距離。着替えだけして、車に飛び乗りました。

間に合ってくれ、と思いながら走ったのですが、横浜あたりだったでしょうか、母から「いま亡くなった」との電話が入りました。

病院に着いたのは朝の7時半でした。病室に入ると、母が一人泣いていました。間に合わなかった。父の手を握るとまだ温もりがありました。私も、感謝と別れを告げました。姉は帰郷の準備のため熊本に戻っていて、死に目には会えませんでした。

骨葬

「葬儀はどうされますか？」、病院の看護婦さんに尋ねられました。帰郷の算段をやっていた最中で、そんなことは考えてもいませんでした。気持ちの整理もつかないまま、葬儀の手配をする必要に迫られました。

と言っても、見知らぬ土地での葬儀。まったく勝手がわかりません。それに、葬儀は父の生まれ故郷である熊本でしてあげたいという思いがよぎりました。幸い、甥は葬儀関係の仕事をしているので電話で相談に乗ってもらい、骨葬というのがあることを知りました。骨葬とは昔からある儀式で、告別式の前に火葬をする儀式だそうです。岐阜で骨葬を行い、告別式は熊本でやることにしました。

岐阜の葬儀屋さんは姪が探してくれました。その葬儀屋さんは骨葬のこともご存知で、その他のいろいろなアドバイスもいただけました。

葬儀屋さんの車が、すぐ病院の遺体を引き取りにきてくれたのですが、そのとき感激したことがありました。父の遺体が病院を出るとき、それまで父のお世話をしてくださった担当のお医者さんや看護婦さんたちが勢揃いで見送ってくれたのです。拝礼をされ、涙を流して最後まで見送ってくださったのです。母と二人で、心から感謝しました。

火葬は死後24時間が経たないとできないので、その夜は葬儀屋さんの控え室で、父の亡骸と共に親子3人で寝ました。

翌朝、骨葬を行いました。姪一家と甥が来てくれて、滞りなく行うことができました。

故郷での告別式

遺骨は、故郷まで私が車で運ぶことにしました。熊本での告別式の手配は、帰郷の準備のために戻っていた姉がしてくれました。住み慣れた故郷なので、知り合いがいろいろ助けてくれたそうです。

お通やは骨葬の次の日になったので、準備の時間はありません。手元で分かる限りの人に連絡はしたのですが、最低限の準備しかできませんでした。それにも関わらず、父の旧友や親戚も来てくれたのはありがたいことでした。

そのとき一番助かったのが、「葬式組」という日本に昔からある相互互助の制度でした。組の当番の方に連絡しただけで何も具体的なお願いをしていないのに、三々五々に集まってくれて、式の受付から祝儀の計算まで葬儀の一連の対応をしていただいたのです。この制度のおかげで無事、葬儀を行うことができました。

納骨問題

葬儀の次は納骨の手配をしなければなりません。しかし、うちがお世話になっていた納骨堂は、前に報告したように全壊で使える状況ではありません。それどころか、ご先祖さまの遺骨も取り出せない状況になっていました。

選択肢はなく、遺骨は仮設住宅に置くことになりました。葬儀関係の仕事をしている甥が、ダンボール仕立てながら「立派な」仏壇を作ってくれました。

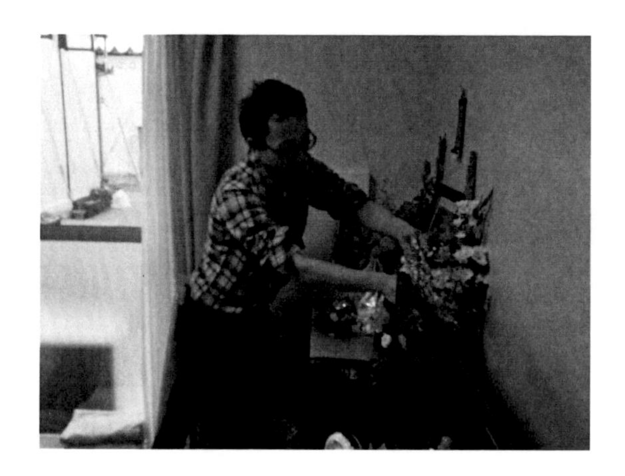

納骨堂の再建はかなりの時間がかかると思われたので、うちが檀家になっているお寺に相談し、空きができたらそちらに納骨してもらうお願いをしておきました。ちなみに、益城町のお寺の多くは被災が激しかったのですが、うちのお寺は幸い軽傷で済んでいました。

●仮設住宅での生活

ありがたいスーパーマーケット

葬儀が終わったと思ったら、次は仮設住宅での生活環境を整えなければなりません。父の予期せぬ他界で歯車が狂ってしまい、目まぐるしい環境変化が襲ってきます。

うちがもらえたのは、益城町で一番大きな仮設住宅だったことを前に書きました。当時は、実家から距離があったので残念に思っていたのですが、現実は逆で、最大仮設住宅だったことでその後のいろいろな恩恵を受けることができました。

まず、スーパーマーケットのイオンができていました。大き目のコンビニくらいですが、生活に必要なものは一通り揃えてあり、車の運転ができない母にはとてもありがたいことです。ちなみに、他の仮設住宅にはなく、ここだけでした。

その他、ラーメン屋さん、居酒屋さんなどもできていました。

交通

バス停もできていました。シャトルバスが実家のある木山まで無料で運行しています。ありがたいことです。でも、熊本市街への幹線道路はまだバスは通れません。

荷物の収納

収納が少なかったので、ホームセンターで物置を買ってきて設置しました。

壁に釘を打ってはいけないという規則とのことで、ネジ式のハンガーかけをつけました（次の借主が居るわけではないので、釘くらい打たせてくれればいいのにと思った）。

集会所

ここの施設は充実していて、ブロックごとに集会所があります。ここでは、相談ごとや趣味の集会などが行われているそうです。

仮設全体には1つの大きな集会所があります。ここは、著名人の慰問など大きなイベントの際に使われているようです。

●母の転院

母の持病の治療問題もありました。岐阜の病院から、地震の前に母がかかっていた熊本の日赤病院に転院しなければなりません。

岐阜の先生には親身に対応していただき、治療方針やデータを日赤に送ってくれていました。そのおかげで、順調に転院することができました。しかし、仮設住宅から2ヶ月に1回、1週間の入院をするという厳しい生活状況になります。

一番の問題は病院までの足なのですが、母の旧友や仮設住宅にいた知人が車での送り迎えを支援してくれました。ありがとうございます。

復興に向けて

2017年1月
～
2018年4月

年が明け、気持ちも少しずつ前向きに変わっていく。お祭り、同窓会、家の建て替えなど復興に向けての出来事をお伝えする。

●益城町のその後

がれきの撤去はまだまだ

　地震から9ヶ月が経過した段階ですが、益城町のがれきの撤去は幹線道路の周りでもまだ倒壊家屋が放置されている有り様で、心が痛くなりました。実家の周りの細い道路では倒壊した家のがれきが雪崩をうっていて、通るのに危険を感じるほどです。せめて、通学路くらいは最優先で公費撤去をしてほしいと思いました。

益城町復興計画

　2016年7月に「益城町復興計画」が発表されました。以下が、その基本理念の抜粋です。

> ●住民生活の再建と安定
> 被災者が安心して快適に暮らせる住環境を一日も早く実現する

ために、住宅再建への支援や災害公営住宅等の建設を行うなど、安全・安心な住環境づくりを進めます。あわせて、被災者の暮らしに必要な生活機能や教育環境、保健、医療、福祉の体制の確保・充実に向けた取組や、被災者の心のケア等も進めます。

●災害に強いまちづくりの推進

今回の震災の教訓を踏まえ、単に震災前の町の姿を復旧するだけではなく、「住民の命を守る、災害に強いまち」の実現に向けて、新しい視点でまちづくりのビジョンを描き、防災上必要なインフラ整備等を進めます。

●産業・経済の再生

甚大な被害を受けた農業、商業、工業等の各産業が、早期に復旧し、雇用を維持すると共に活力を取り戻すための取組を進めます。また、熊本都市圏東部の交通要衝に位置する地域特性を生かし、産業拠点のまちづくりを推進します。

(益城町震災復興基本方針、2016年7月6日より引用)

うちの実家も整備対象エリアに入っており、この計画が実施されると道路が新設されるなどの影響で敷地面積の変更の可能性があります。それで、役場が主催する説明会で話を聞きました。

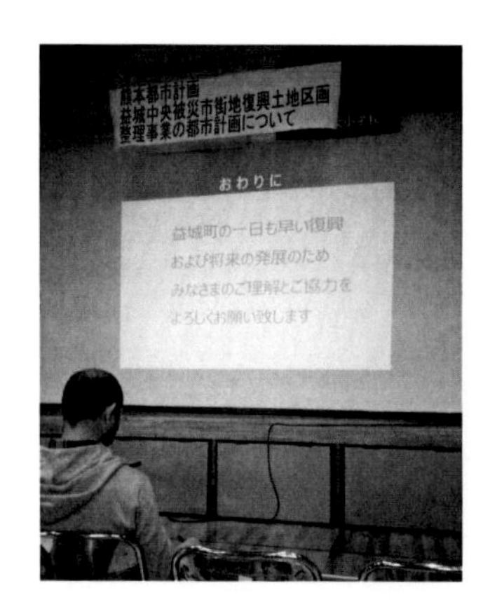

実家に入る道はもともと3m程度と狭く、緊急車両の出入りに不安があったので私は基本賛成でした。ただ、大規模復興整備よりいまの生活環境の復旧を急ぐべきだという反対派もいて、議論があるようでした。

今年もめげずに立った「初市」

私が生まれ育った益城町木山には、古くから伝統の「初市（はついち）」があります。毎年3月に行われ、瀬戸物や植木や雑貨などの青空店舗が通りに立ち並び、飴や駄菓子、金魚すくいなども出て祭りのような様相です。子供の頃、楽しみにしていたのを思い出します。

復旧はまだ道半ばなので開催が心配されましたが、いつもの街並みではなく避難所だった町営体育館で開催され、多くの人で賑わっていました。

一番人気は木山名物「いちだご」。

祭りや催事は、こういうときに皆を元気にする力があるのだ、と改めて思いました。

納骨堂の解体とお骨回収

納骨堂は前に書いたように全壊状態だったのですが、やっと解体のめどが立ったとのことで、中の遺骨を取り出せることになりました。

うちは両親の祖父母の遺骨が安置されています。母が取り出しに行ったのですが、重機が屋根を支えている間に、ヘルメットを着けて自己責任で取り出すという危険な作業だったようです。幸い、うちの遺骨の場所は天井が崩落しておらず、どうにか取り出すことができました。ただ、そのすぐ後に天井が下がってきたとのことで、それ以降の人は取り出すことができなかったそうです。無念だったことと思います。

益城町に寄付、町長の話

このWebの原著「熊本地震体験記」の売上の一部はチャリティーとして、熊本のために寄付することにしていました（2021年3月で終了）。3月には、それを益城町に寄付するために帰郷しました。

木山出身ということもあり、西村町長に直接手渡しで受け取っていただけました。地元の新聞社も取材に来てくれて、記事にもしてもらえました。

その際に町長から聞いた話ですが、益城町体育館は写真のように最初の地震でかなりの被害を受けていたそうです。それを、人海戦術で急ぎ取り除き避難所として使うことができたとのことでした。私は当時、体育館の隣の施設に1週間ほど避難していたので体育館も見ているのですが、そんなこととは知らず、驚きました。

書店訪問

せっかく帰郷したので、熊本市内の書店も訪問してきました。長崎次郎書店、長崎書店、蔦屋書店など大型の書店をまわったのですが、どのお店も地震関連のコーナーが一番目立つ場所に作ってありました。私の本も置いていただきありがとうございます。

●仮設生活の充実

慰問

益城町最大の仮設住宅とあって、慰問の人たちがたくさん来てくれます。大物有名人も来てくれるそうです。私が帰郷しているときは、大相撲の力士さんたちが慰問に来られ、大勢の人が迎えていました。母も嬉しそうでした。

ありがたい差し入れ

全国から、りんごやメロンなどの果物、また名産品などの差し入れが次々と届くそうです。それに、住民の人たちが自分の手料理を近隣にお裾分けしてくださるそうです。ありがたいことです。

家庭菜園

仮設住宅の住人は、希望すれば家庭菜園用の畑がもらえます。さすが田舎、嬉しい配慮です。広さは、3m × 6mくらいでしょうか。母も提供してもらえ、さっそく野菜作りを始め、生活の励みになっているそうです。

三味線教室再開

母は、震災の前は三味線教室を開いていました。震災で中断していたのですが、お弟子さんからの要望があったり、仮設住宅で習いたいという人が居たりしたので、再開することになりました。仮設住宅の6畳の寝室兼居間を使っての三味線教室。ちょっとびっくりですが、前向きな感じがしていいなと思いました。

母の三味線は長唄なのですが、地域の人には民謡三味線のほうが人気があるということで、民謡を主に教えています。そんな折、私の知人の奥様が昔使っていた民謡三味線を使ってほしいと無償で送ってくださいました。生徒さんの稽古三味線として活躍しているそうです。ありがとうございました。

●さあ復興だ

震災後はじめての初日の出

父の葬儀から間もありませんでしたが、母の心配もあり正月も帰郷しました。元旦は、仮設住宅から近いこともあり阿蘇に初日の出を見に行きました。震災後はじめての初日とあって大勢の人が来られており、一緒に父の冥福と復興を願いしました。

阿蘇には「阿蘇の涅槃像（ねはんぞう）」という名物風景があるのですが、お釈迦様が仰向けに寝ている姿に似ていることが由来です。初日を見た後にそちらにも行ったのですが、これまで見たことのない荘厳な涅槃像が見られ、父の供養になったような気がしました。

納屋の活用

実家には母屋のほかに納屋があったのですが、屋根瓦が落ちたりしたものの、幸い躯体は無事でまだ利用することができそうでした。

そこで、業者さんにお願いして、これを物置として活用できるように修理しました。電気も引いてもらえたので、立派なものができました。

さっそく、トランクルームに入れていた品々を引っ越ししました。ただ、やはり選別と移送には苦労しました。車で5回くらい運んだでしょうか。これでトランクルームのほうは、お役御免となりました。

モデルハウス見学

仮設住宅内に新築希望者のためのモデルハウスができていたので、見学に行きました。3軒建っていたのですが、いずれも1500万円くらいのもので、復興住宅だけあって、耐震基準が最高でバリアフリーをうたっています。

見ていたら、我々も新築の家がほしくなってきました。

●復興同窓会（2017年8月）

同窓会、二連発

私は高校まで熊本で過ごし、大学進学時に上京して以来はずっと東京暮らしです。今回の震災が起きるまでは年に1回くらい帰郷する程度で、田舎の同級生とも特定の人を除けば付き合いはありませんでした。ほかの多くの旧友もそんな感じだったと思います。

今年は我が学年は折しも還暦の年。一般的には、この年だけはやろうという機運が盛り上がるものです。しかし、震災後ということで、開催すべきかどうかの議論がありました。結果、震災にめげずに復興するためにも同窓会をやろう、という機運が高まり、何と中学も高校も夏に開催されました。それも、土曜・日曜続けての二連発でした。

中学同窓会

中学の同窓会は、さすがに懐かしかったです。なにしろ卒業以来45年ぶりに会う面々。最初は誰が誰やらさっぱり分からなかったのが、話をしているうちに記憶がよみがえり、タメグチになっていきます。

ほとんどの旧友が深刻な被害を受けていましたが、みなその悲壮感より、45年ぶりの再会の嬉しさが勝っていたようで、大盛り上がりでした。会の中で、「熊本地震体験記」の紹介の時間もとってもらえ、それを先生方に報告できたことは嬉しい思いでした。

高校同窓会

高校の同窓会も、中学と同様に大盛り上がりでした。しかしよく聞くと、みな悲しい出来事を持っていて、二次会では今後は力を合わせて復興しようと励まし合いました。

中学の同窓会でもそうでしたが、こういう時は子供の頃を共有した仲間がいることはありがたいものだと思いました。震災がなかったら、ここまでの団結力は出てこなかったように思います。

●実家の再建開始

実家再建業者選び

仮設住宅の貸与期限は2年間なので、そろそろ期限が迫ってきています。退出後の選択肢としては、町が提供する復興集合住宅にするか、実家を建て替えるかになりますが、母と相談の結果、建て替えをすることに決めました。

新築にあたり気にしたのは、当面は母一人での生活になるので、管理や修理などのメンテナンスをしてもらえることでした。有名住宅メーカーもあったのですが、その点から地元の業者がいいと思っていました。

業者さん探しでは、従兄や、不動産業をされている姉の旧友とその奥様がいろいろな相談に乗ってくれました。そこで紹介してもらったのが、九州の業者さんで同じ町に営業所があり、工期が早い、価格も安いという願ってもないところでした。工期に1年くらいかかるという話も聞いていたのですが、ここは4ヶ月でできるとのこと。価格も、復興特別企画ということで割安だったのです。

実際に、建築された物件を見せてもらったら、とても住みやすそうで母も大いに気に入ったようでした。もちろん、オールバリアフリーで耐震基準も最高レベル、ここに決め発注しました。

公的手続きもろもろ

被災、入院、父の死去などの災難で、以下のようなもろもろの公的手続きをしなければなりませんでした。

・り災証明
・仮設住宅申請
・実家解体の費用補てんの申請
・郵便物の住所変更
・震災関連死の申請
・税金関連
・父の保険／年金
・相続
・新築申請　など

母だけではむずかしいものもあり、手伝いながら処理したのですが、役場の窓口や弁護士相談などの公的サービスの対応はよく、聞けばていねいに教えてくれたのは助かりました。

ボランティアに野菜送る

再建のきざしが見えてきたら、震災時に家の片付けを手伝ってくれたボランティアの方々のことを思い出しました。何かお礼をしたいと思い母と相談した結果、家庭菜園で母が作った野菜を送ろうということになりました。お店で売っているものより、手作りのほうが喜んでもらえるのではないかと思いました。
大根、里芋、葉物野菜などを送ったのですが、喜んでもらえたようでした（一部は益城町の八百屋さんで買った物）。

母にスマホ

母との連絡はもっぱら電話ですが、母がスマホを使ってみたいというので、無理かもしれないと思いつつ、高齢者向けのスマホを調達しました。最初は電話に出るのもむずかしかったようですが、いまではメールも使えるようになりました。わからなくなると自分でマニュアルを読んでがんばっているようで、認知症予防にもいいのではないかと思いました。

写真を撮れるようになることと、それを送れるようになるといいのですが、それは次の課題です。

地鎮祭

立て替え工事を着手する前に、地鎮祭が行われました。田舎ということもあり、神主さんが来てくださり、お酒や尾頭付きの鯛が供えられたりと本格的なものでした。

地盤調査

大地震後の立て替えなので、地盤が大丈夫かの調査が必要とのことでした。それで地盤が弱いことになれば杭打ちなどの補強工事を行わなければならず、100万円程度の出費になります。幸い、調査の結果、地盤は大丈夫とのことでした。

棟上げ

聞いていた通り、工事はハイスピードで進みました。2月には棟上げに漕ぎ着け、家の姿が見えてきました。4月の完成に向け、期待に胸が膨らんでいます。

●所感

益城町、熊本のいま

丸2年が経ったので、益城町も熊本もだいぶ復興してきました。次の2枚の写真は、2度目の地震の際の実家のまわりの景色と、いまの景色です。がれきがなくなり、建て替えも進んでいることがわかります。しかし、空き地が多く、いまなお再建の目途が立たない方々も多くおられると聞いています。今後の再建が叶うことをお祈りいたします。

次の写真は、西側から見た阿蘇の景色です。崩落したことで、テレビで再三報道された阿蘇大橋があるのもこのあたりです。山々の削られた山肌が、いまでも地震の猛威を生々しく記しています。これが自然になじむには永い時間が必要なのでしょう。さらなる復興を願います。

環境が変わることの怖さ

家だけでなく、生活環境がとても大事です。日ごろ何気なく生活していると気づかないことですが、今回の被災で、家はもちろんのこと、家族、親戚、近隣の人たち、友人、近くのお店、かかり付けの病院、神社やお寺、野山の景色など、我々は実にさまざまな環境に守られて生きているということを実感させられました。失ってみてはじめて分かりました。

想像できることが大事

大地震に備えることは、日常生活の中ではとてもむずかしいことだと思います。水や食糧を備蓄しておけばいいのか、耐震補強をしておけばいいのか、……。しかし一番大事なことは、その際に起こることを「想像できるか」ではないかと思いました。

家がなくなることもある、いつも使っているお店や施設が使えなくなることもある、避難所に行くこともある、病気になることもある、そして死の危険があることを日常生活の中でも想像できていれば、当事者になったときの対応は違ったものになると思います。この記録が、皆さまの「想像」のお役に立てば幸いです。

教訓・提案

私の体験から得た教訓と今後への提案

今回の一連の震災体験を通して、私が思った教訓や、制度などへの提案のまとめ。

●私が確信した教訓

今回の地震は、直下型で、局所的で、前震型で、何度も起こった（震度6が5回、震度7が2回）、という過去に例のないタイプだったとのことなので、これまでの常識が通用しなかったようです。

「机の下に隠れろ」や「つっぱり棒」などは盤石じゃなかったわけですが、普通の地震なら意味はあると思います。やらないよりやったほうがいいでしょう。ただ、大きな地震だとそれも限定的で、過信は禁物というのが今回の教訓のように思います。

私の体験からはっきり言える最低限の地震対策は、

・テレビは固定する
・高いところに重い物を置かない
・寝床のそばに、ケータイと靴と懐中電灯を置いておく
・大きな窓サッシは倒れ込むことを認識しておく
・外に出る動線を確認しておく
・すきを見て外の広いところに避難する（家の状況によるが）
・外に出るときは落下物に注意する

だと思いました。

そしてやっておいたほうがいい備えとしては、

・高齢者でもケータイ電話に加入しておく

・水を備蓄しておく
・ブルーシートを用意しておく（戸建ての方）
・事前に避難所を決めておく
・周りの人と仲良くしておく
・そして、日本は地震と共に生きていかなければならない国だということを思い出す

だと思いました。

●こうなっていればいいのに、と思ったこと

災害救助に対する国の専門組織が必要では

日本では、災害は、自治体のことは自治体でやることが原則になっていると思いますが、実際の被災地では、自治体の職員の方々も被災者になっています。自分の家や家族の心配をしつつ仕事されているのは、精神的にも肉体的にもむずかしいのではないかと感じました。それと、大地震はたいていの自治体が初体験ということになるので、それに対応するノウハウが不十分だと思われます。国による専門の災害救助機構が必要なのではないでしょうか。

自治体間のイントラネットがあるといいのでは

上記のように、被災地では自治体も被害を受け、そのシステムが通常のようには機能しません。私のいた益城町の役場も崩壊し、機能を失っていました。こういう場合には、それを援助したり、場合によっては肩代わりできるような自治体間ネットワークシステム（自治体イントラネットのようなもの）があると有効ではないでしょうか。

避難所認定はもっと柔軟に対応すべきでは

本文にも書いていますが、ある条件を満たせば自己申告で避難所と認定してもらえる、また車中泊の人たちで希望があれば避難所へ誘導する仕組みなどがあればいいと思いました。

家が倒壊した方には慰謝料のようなものがあってもいいのでは

倒れた家と倒れていない家では精神的な意味での被災程度は別物だと

思います。り災証明の判定基準では、家が倒壊かどうかではなく再建にかかるコストの程度で見ているようですが、倒壊した家の方には何か別の慰謝料のようなものがあってもいいのではないかと思いました。

道路のがれき撤去は最優先で

ゴールデンウィークに再び帰ったとき、通れない道路がまだかなり残っていました。道路は誰もが使うものですし、その回復は全体の復興速度に大きく影響すると思います。幹線だけではなく、あらゆる道は公的に最優先で通れるようにしたほうがいいと思いました。

自宅のがれき処理も業者にしかできないのでは

家の片付けをした際の瓦、塀や壁などのがれきは想像を超える量でした。ルールでは、自宅のがれきは自分で処理場に運ぶことになっていましたが、処理場は大混雑で、量的にも時間的にも、とても自分たちで処理するのは無理だったので、庭に放置してきました。がれきや壊れた家具などの処理は業者にお願いできるような、公的なサービスを受けられるといいと思いました。

ブルーシートかけにも公的サービスが必要では

本文でも書いたように、地震後は家の中の物を雨から守るための屋根へのブルーシートかけが必要です。この作業と費用にも公的サービスが受けられるといいと思いました。

諸手続きはオンラインでもできるといいのでは

り災証明などは、その家の世帯員が役所に出向かなければ受け取れません。実際には、大きな被害受けた世帯ほどそこに居住している可能性は低いので、ネットによるオンライン受付をしてもらえればと思いました。

○あとがき

最後までお読みいただき、ありがとうございます。

私の場合は、地震当時に実家が倒壊したわけではなく、家族にけが人もいませんでした。ですので、本書で書いたことは、自宅が倒壊された方々やご家族を亡くされた方々の気持ちを代表しているものでは、決してありません。そのような体験をされた方々の悲しみや身に降りかかる難題はさらに大きなもので、当事者でなければわからないことだと思います。

また、私が見たのは主に益城町とその周辺だけで、それ以外で被害が大きかった阿蘇や宇土、それに熊本城がある熊本市繁華街も見ていません。それらの地域では、それぞれに別の状況が発生していたことと思います。

しかし、本書で書いた出来事は、おそらく大地震に遭遇したときには誰にでも起こる可能性が高い事象だと思います。本書により、読者の皆さまが被災した熊本に心を寄せていただければありがたいし、また本書が、皆さまの地震に対する心構えのお役に立てば本望です。

最後に、今回は多くの方々のご支援とご協力をいただきました。一人ひとりのお名前を上げることはできませんが、皆さまのおかげで無事に東京に戻ることができ、本書を発行する機会を与えていただきました。この場を借りて、お礼申し上げます。ありがとうございました。

2016年5月

■改訂版発行に際し

避難所移転から我が家に起こった出来事を記しました。本文でも書きましたが、地震に見舞われると何が起こるのかを知り、自分の環境で起きた場合の「想像」をしておくことがとても重要だと思います。想像できていれば備えることもできるでしょうし、想定外な事も少なくなるはずです。

最後に、全国の皆さまから、また世界の皆さまからのご寄付をいただきました。感謝いたします。金銭的なご支援はもちろんですが、多くの方々に見守られているという暖かい感覚が復興の助けになりました。本当にありがとうございました。

2021年4月

井芹昌信

著者紹介

井芹 昌信（いせり まさのぶ）

1958年、熊本県上益城郡益城町生まれ。益城中央小学校、木山中学校を経て、県立第二高校卒。
東海大学光工学科卒業後、1981年に株式会社アスキー出版（現、株式会社KADOKAWA）に入社。書籍編集部編集長、出版技術部部長、電子編集推進室室長を務める。
1992年、株式会社インプレスの設立に取締役として参画。現在、株式会社インプレスR&D代表取締役社長、株式会社インプレスホールディングス主幹。
編集長として手がけた主な製品・事業として、パソコン解説書「できるシリーズ」、インターネットマガジン、インターネット白書、INTERNET WatchなどのImpress Watchシリーズ、OnDeckなどがある。
現在は、新時代の出版モデル「NextPublishing」を推進している。

情報協力：益城町役場
写真協力：井芹 千春

◎本書スタッフ
アートディレクター/装丁： 岡田 章志＋GY
制作協力： 向井 領治
ディレクター： 栗原 翔

●お断り
掲載したURLは2021年4月1日現在のものです。サイトの都合で変更されることがあります。また、電子版ではURLにハイパーリンクを設定していますが、端末やビューアー、リンク先のファイルタイプによっては表示されないことがあります。あらかじめご了承ください。
●本書の内容についてのお問い合わせ先
株式会社インプレスR&D　メール窓口
np-info@impress.co.jp
件名に「『本書名』問い合わせ係」と明記してお送りください。
電話やFAX、郵便でのご質問にはお答えできません。返信までには、しばらくお時間をいただく場合があります。
なお、本書の範囲を超えるご質問にはお答えしかねますので、あらかじめご了承ください。
また、本書の内容についてはNextPublishingオフィシャルWebサイトにて情報を公開しております。
https://nextpublishing.jp/

●落丁・乱丁本はお手数ですが、インプレスカスタマーセンターまでお送りください。送料弊社負担にてお取り替えさせていただきます。但し、古書店で購入されたものについてはお取り替えできません。
■読者の窓口
インプレスカスタマーセンター
〒101-0051
東京都千代田区神田神保町一丁目105番地
TEL 03-6837-5016／FAX 03-6837-5023
info@impress.co.jp
■書店／販売店のご注文窓口
株式会社インプレス受注センター
TEL 048-449-8040／FAX 048-449-8041

震災ドキュメント

【改訂版】熊本地震体験記 震度7とはどういう地震なのか?

2021年4月14日　初版発行Ver.1.0（PDF版）

著　者　井芹 昌信
編集人　桜井 徹
発行人　井芹 昌信
発　行　株式会社インプレスR&D
〒101-0051
東京都千代田区神田神保町一丁目105番地
https://nextpublishing.jp/
発　売　株式会社インプレス
〒101-0051　東京都千代田区神田神保町一丁目105番地

印刷・製本　京葉流通倉庫株式会社
Printed in Japan

ISBN978-4-8443-7977-5

NextPublishing®
●本書はNextPublishingメソッドによって発行されています。
NextPublishingメソッドは株式会社インプレスR&Dが開発した、電子書籍と印刷書籍を同時発行できるデジタルファースト型の新出版方式です。 https://nextpublishing.jp/